Toi partie, je m'oublie

Marianne Orjol

Toi partie, je m'oublie

Roman

LE LYS BLEU
ÉDITIONS

© Lys Bleu Éditions – Marianne Orjol

ISBN : 979-10-377-7501-6

Je mourrai avant d'avoir 25 ans,
et quand ça arrivera j'aurai vécu de la
façon dont je voulais

Sid Vicious, bassiste des *Sex Pistols*

17 août, nuit chaude sereine, le téléphone sonne. Après un long silence viennent aussitôt des cris, des cris déchirants qui transpercent aussi bien les murs que les corps. C'est ainsi qu'Alizée sort violemment de son sommeil. Dans un premier temps, elle se retrouve sonnée, ne comprenant pas ce qui se trame en dessous d'elle. Il lui faudra lutter pour ordonner le réveil de ses muscles et parvenir enfin à s'extirper de son lit. Au rez-de-chaussée, les lamentations ne se sont pas calmées, elles s'accentuent même. En tendant l'oreille, Alizée reconnaît les intonations de la voix de sa mère. Mais que se passe-t-il en bas ? Quel drame peut justifier un appel à trois heures du matin passées, un vendredi soir ? Rien que d'examiner toutes les possibilités probables, l'angoisse monte insidieusement dans sa poitrine.

En dépit de son malaise, elle se décide à descendre lentement les marches qui la séparent de sa résolution. Personne dans l'entrée. Personne dans la cuisine. La terreur la ronge à chacun des pas qu'elle pose sur le chemin du salon familial où les pleurs se font plus audibles.

La scène que découvre la jeune fille en pénétrant dans la pièce la pétrifie sur place. Elle n'ose plus entrer, elle a changé d'avis, elle ne veut plus savoir, non… Jamais auparavant elle n'a assisté à pareil spectacle. Voir ses parents si désarmés, si dévastés, pleurant à chaudes larmes dans les bras l'un de l'autre, suffit à lui confirmer la gravité de la nouvelle apportée par cet appel téléphonique nocturne. Leur terrible étreinte se poursuit encore quelques instants avant que le père d'Alizée ne la rompe en constatant la présence de sa seconde fille à la porte.

— C'est ta sœur… lâche-t-il, la voix étranglée par les sanglots.

Elle meurt d'envie de hurler « et alors ? ». Cette phrase « c'est ta sœur » a un goût de trop peu pour elle. Apprendre l'origine de ce mal-être ambiant va la détruire, elle le sait intimement, son intuition le lui hurle. Cependant, à cet instant paradoxal, l'entendre de la bouche de l'un de ses parents lui est redevenu presque vital. Sans un mot, sa mère s'approche de sa dernière fille pour lui prendre tendrement la main et l'amener sur le canapé à ses côtés. Ses yeux se sont vidés, comme perdus dans un monde parallèle au leur. Son père, quant à lui, reste debout le corps mouvant, incapable de rester statique. Du coin de l'œil, Alizée l'observe faire les cent pas sur le tapis émeraude qui revêt le plancher sombre et lustré du salon, l'esprit ailleurs, à l'instar de son épouse. Sans doute cherche-t-il les mots adéquats à adopter face à sa fille dans une situation de crise comme celle-ci, mais plus son père tente de la ménager, plus le poids du silence étouffe la jeune adolescente. Il y a cinq minutes à peine, Alizée aurait tout donné pour rester blottie dans sa confortable ignorance et à présent, elle désire connaître la raison de ce chambardement, aussi brutale soit-elle.

— Alice a eu un accident de voiture… bredouille-t-il enfin dans un souffle à peine perceptible, alors que la mère d'Alizée pousse un gémissement plaintif et sourd à la réception de ces mots horribles à son oreille. Ta sœur a fait la fête avec des copains, elle voulait célébrer l'acceptation du dossier de sa meilleure amie par la fac. Elle a trop bu… Dieu seul sait pourquoi, elle a insisté pour rentrer au volant de sa voiture… Ses amis ont essayé de l'en dissuader, elle n'a rien voulu savoir…

Soudain, l'énoncé d'une froideur protectrice des faits lui devient insurmontable. Alizée le regarde, impuissante, se décomposer de la tête aux pieds. Son teint a blêmi et ses mains, maintenant possédées, sont prises de convulsions incontrôlables. Et pourtant, malgré son apparente vulnérabilité, il continue obstinément à refuser de s'asseoir, préférant finir d'une traite un verre de whisky pur malt qu'il claque d'un geste brusque sur le montant de la cheminée.

Sa contenance feinte retrouvée, il se ressaisit et reprend le cours de ses pensées :

— D'après l'officier de police que je viens d'avoir au téléphone, Elle… a perdu le contrôle de son véhicule dans un virage et… et…

Le funeste mot reste bloqué à l'intérieur de sa gorge, comme si le simple fait de l'articuler participerait à rendre les événements plus réels encore.

— Elle est morte... sur le coup, complète sa mère avant de laisser jaillir les larmes.

Un précipice vient de s'ouvrir sous les pieds d'Alizée, leur monde familial paisible s'est effondré. Plus rien ne sera comme avant. Hier encore, leur famille se composait de quatre membres, la voilà réduite à trois. Ils ne seront à jamais plus que trois.

Aucune larme ne coule sur les joues d'Alizée, elle n'y parvient pas. Elles ne remontent pas à la surface, bloquées par le flot de questions qui l'assaille. Son cerveau en est rempli, paralysant l'ensemble de ses cinq sens. Pourquoi ses putains d'amis n'ont pas plus insisté pour qu'elle passe la nuit sur place ou pour qu'elle attende au moins d'avoir dessoûlé avant de reprendre le volant ? Pourquoi a-t-elle voulu rentrer impérativement cette nuit, ici, à la maison, alors que son studio d'étudiante se situe plus près ? Cela lui paraît insensé, elle ne reconnaît pas sa sœur. Agir de manière inconsciente, boire à outrance ne lui ressemble pas. Ce n'est pas elle. La fille que Alizée connaît ne vit que pour ses études. Sa meilleure amie se plaisait à raconter qu'elle devait fréquemment batailler pour la sortir de ses bouquins, ne serait-ce que pour quelques brèves heures dans la journée. Alice n'est donc pas la sœur irréprochable que Alizée a crue jusqu'à présent. Non, la police doit commettre une erreur, ils se trompent de personne. Ce n'est pas Alice qu'ils ont retrouvée, ils vont rappeler dans une minute pour rectifier et s'excuser de leur méprise.

La stupéfaction passée, sa mère se relève, tout en resserrant la ceinture de sa robe de chambre, puis reprend la main de sa fille dans la sienne. Instantanément, la chaleur rassurante maternelle enveloppe Alizée dans un doux cocon à la limite du réel. Tels des zombies aux yeux exsangues de lueur de vie, elles remontent toutes deux à l'étage sans bruit, sans même allumer, avançant à l'aveuglette. L'étreinte de leurs deux mains enlacées se resserre sensiblement tandis qu'elles passent devant la chambre d'Alice sur leur droite. Dans ce geste anodin muet, de l'amour y est décelé, du soutien, mais aussi un immense désespoir. Lentement, elles traversent le palier, soudées l'une à l'autre. Alizée, lointaine, ne réagit pas lorsque sa mère, au lieu de retourner dans sa propre chambre afin de rejoindre son mari, pénètre dans la sienne. Nul doute que cette soirée restera à jamais gravée dans leur mémoire à tous les trois. Rien de ce qu'ils auront vécu durant cette nuit n'aura de sens.

Alizée réclame de la lumière. Elle ne souhaite pas que sa pauvre mère se blesse en se cognant contre un coin de meuble, et puis dormir dans un noir complet ne la tente pas, les ténèbres attirent les cauchemars. Prévoyante sur l'avenir, la présence d'esprit de la jeune fille lui a fait conserver religieusement, comme vestige de sa petite enfance, une veilleuse à l'effigie d'un éléphant, offerte à l'occasion de ses deux juvéniles bougies par ses grands-parents paternels dans le but de guérir sa peur phobique du noir. Une aubaine.

En prémices à un sommeil promis aux troubles, Alizée porte le regard sur son radio-réveil rose cerise. Cinq heures vingt. Demain-aujourd'hui, leurs parents devront prendre leur voiture afin d'identifier le corps meurtri de leur fille aînée à la morgue de l'hôpital public de la ville sans préavis.

La dépression s'immisce jusqu'aux cimes du ciel dont la laideur manifeste son désespoir en leur offrant de la pluie en gage de compassion. Une pluie battante glaciale rare en cette période estivale qui, elle l'espère, lavera, ne serait-ce qu'en infime partie, leurs âmes si tourmentées en ce jour funéraire.

Alizée se réveille tôt ce matin, éreintée et cassée par des songes mouvementés irréguliers, faits et défaits de multiples scènes décousues sinistres. Coiffée par ses couvertures, elle grimace en humant les volutes échappées de l'interstice de la porte de la cuisine. L'air débordant de café coupe son appétit prématuré. Son petit déjeuner risque d'être frugal pour la énième fois depuis des jours.

Quand elle pénètre dans la pièce, elle constate avec étonnement la présence fort matinale de sa mère. Elle la voit prostrée, comme hypnotisée par sa tasse de café dont le contenu refroidit à vue d'œil.

— Oh ma puce, tu es déjà debout ? Il n'est que huit heures, la cérémonie ne débute qu'à dix heures et demie. Retourne donc te mettre au lit, lui recommande la quadra vêtue d'une élégante robe en soie noire, à la vue du spectre las de sa fille à l'entrée de la cuisine.

— Je n'arrivais pas à dormir, me recoucher ne servirait à rien, je crois...

Sa mère hoche la tête dans sa direction, compréhensive, tout en plongeant de nouveau ses pensées brouillées dans sa tasse froide la demi-seconde suivante.

D'un geste machinal, Alizée attrape un bol dans le placard au-dessus de l'évier de leur cuisine américaine flambant neuve. Pour autant, son ventre ne crie pas famine, bien au contraire, lui apporter de quoi se repaître pourrait même s'avérer dangereux tant elle est barbouillée, déjà stressée, consciente de l'épreuve qui l'attend incessamment sous peu. Voir sa mère déconnectée du monde extérieur la chamboule. Elle, si dynamique en temps normal, trop parfois, à la limite du survoltage, s'est mue en une poupée mono-expressive malléable à loisir, à laquelle une minuscule pichenette suffirait à faire tomber sur le sol. Alizée rêverait de passer sa journée au lit, assommée par une grosse poignée de somnifères au lieu de devoir s'infliger une cérémonie qu'elle craint ravageuse.

Après un maigre repas composé de céréales au chocolat, elle déclare forfait, range son bol dans le lave-vaisselle et sort de la cuisine, laissant sa mère en prise avec ses tourments. Puis elle gravit les marches des escaliers d'un pas lourd et sourd, se dirige vers la salle de bain et s'y enferme à double tour. Il n'est que neuf heures et quart, et elle ne veut déjà plus subir la présence d'âme qui vive. Hélas, on ne lui offrira pas le luxe de choisir, son sort ne dépend pas d'elle. La famille au grand complet et les amis d'Alice sont, eux aussi, à l'heure qu'il est, en train de se préparer à l'infâme idée de venir lui faire leurs adieux. Elle se doit de montrer l'exemple, elle, petite sœur. Elle se doit de prendre sur elle, même si cette perspective lui paraît insurmontable à l'image d'une montagne aux flancs abrupts infranchissable. En est-elle au moins capable ? Elle en doute. Comment se présenter aux autres dans la peau d'une jeune sœur en deuil alors qu'elle n'a jamais craqué depuis l'annonce de la mort d'Alice ? Il faut être sec, mort de l'intérieur, avoir un cœur liquéfié, être dénué d'humanité pour ne pas pleurer ici et maintenant. Dévastée par cette idée, elle se résigne à pénétrer dans la cabine de douche. La chaleur de l'eau roulant sur ses cheveux et sa peau la délasse à un tel point que les larmes inespérées ne tardent pas à s'y mêler, se confondant à l'eau de la douche, et disparaissant avec elle dans le siphon. Pour la première fois depuis cette dernière semaine passée en apnée, Alizée se laisse finalement aller. Elle pleure, elle sanglote, elle tremble de la tête aux pieds. Aussi dérangeant que cela puisse paraître, un sourire se dessine dans ce masque plaqué informe de cheveux détrempés. Sa tristesse s'exprime pleinement et elle en est satisfaite. Sa carapace se fissure laissant place à une fille disposée à exposer sa détresse à la face du monde, quel que soit le prix à payer. Une détresse, en revanche, trop lourde à supporter pour ses frêles épaules. Reprendre le dessus requiert une force redoutable à la saillie de ses tripes, capacité dont Alizée a été privée depuis ce détesté vendredi. Alors, brisée, elle plie sous le poids gargantuesque de sa peine. Ses jambes ne la portent plus, elles flagellent dangereusement. Devant la peur de s'effondrer à plat, l'adolescente préfère s'accroupir sur le sol en PVC ondulé de la cabine, jusqu'à finir par se recroqueviller en position fœtale, comme pour se donner la sensation du renouveau de la naissance où tout était à faire, où tout était à vivre, où le droit de rêver s'envisageait encore à travers des yeux naïfs d'enfant.

Il faut plusieurs minutes à Alizée pour sortir de cet état second léthargique et ramper en dehors de la douche. Quelle désagréable impression que celle de se mouvoir au ralenti ! Le plus insignifiant geste lui prend un temps infini. Ses muscles la font grimacer de leur raideur. Le simple fait de saisir une serviette sur l'étagère et d'entreprendre de se sécher avec épuise son corps en entier. Des automatismes pourtant anodins, à la portée de tous. Sa juvénile énergie l'a quittée sans crier gare.

Outillée d'un bon sens usé, l'étape du maquillage est vite avortée, celui-ci engendrerait plus de désagréments pour elle, et à tout prendre, qui se préoccuperait de coquetterie un jour d'enterrement ? Personne, hormis une parade d'abrutis superficiels et insensibles. La taille enroulée de sa grande serviette, elle se rend dans sa chambre pour continuer de s'y préparer et enfiler sa tenue choisie minutieusement la veille : un débardeur noir d'une infime simplicité, une jolie jupe droite décorée d'un gros nœud de couleur identique et une paire de chaussures vernies bridées. L'habillage s'achève peu avant que dix heures ne sonnent. Il lui reste donc encore du temps à tuer, encore faudrait-il qu'elle l'utilise à bon escient, et il est nécessaire qu'elle occupe son cerveau au maximum afin de ne donner aucun répit à la force obscure qui l'habite, car si elle lui en laisse l'occasion, elle la submergera une nouvelle fois comme elle l'a fait sournoisement dans la douche quelques instants auparavant et ça, il en est hors de question. Mais alors, que faire en attendant l'heure fatidique ? Ses devoirs de vacances ? Mauvaise idée, ces travaux requièrent une quantité trop importante de matière grise. De la lecture ? Là encore, sans une réelle concentration, la compréhension du texte risque de finir en bouillie prémâchée.

Ne trouvant aucune autre activité à effectuer, la voilà qui descend les escaliers pour rejoindre ses parents. Ni voix ni bruit ne parvient à ses oreilles. Probablement sont-ils partis faire un tour au-dehors loin de l'environnement familier oppressant, s'aérer avant que ne claironne l'heure du départ. Alizée poursuit sa marche lente vers le salon. D'emblée, son regard se pose sur le montant de la cheminée où se loge entre les chandelles un tas conséquent de photos, tracé de leur arbre généalogique familiale, disposées en quinconce de sorte qu'elles ne dépassent pas outre mesure les bords externes de la cheminée. Sur la dernière en partant de la gauche, on peut notamment apprécier la subtile élégance de ses grands-parents maternels, immortalisés, drapés dans leurs tenues d'apparat, poser amoureusement devant l'Opéra de Paris où ils se faisaient une joie d'assister à l'une des performances du très grand Rudolph Noureev, immense danseur russe qui a marqué l'histoire de la danse au vingtième siècle, ou celle-ci montrant deux de ses cousines, gamines à l'époque, en train de jouer à la balançoire dans le jardin de leurs grands-parents.

Alizée continue l'examen minutieux des photographies jusqu'à ce qu'elle s'arrête net devant celle du milieu, la seule à être encadrée, et la saisisse dans ses mains subitement fébriles. La famille restreinte des quatre membres est présente, tous alignés en rang d'oignons, bras dessus dessous. De gauche à droite, leur mère, Alice, Alizée et leur père. Les quatre sourient sans chichi. Rictus crispé pour Alizée qui n'a jamais apprécié de se faire tirer le portrait, sourire sincère pour sa sœur, digne pour celui de leur mère et réservé pour celui de leur père. Cette observation d'ensemble faite, Alizée la rapproche de son visage en vue d'un examen détaillé de cette image figée d'un temps désormais révolu. Pour la première fois de sa vie, le lien filial de leurs ressemblances physiques la frappe. En commençant par elle, le portrait craché de son père. Elle s'étonne même du fait qu'elle ne l'ait jamais remarqué auparavant. La crinière rousse indomptable identique, ces taches de rousseur qui constellent chez l'un comme chez l'autre leurs hautes pommettes, leurs regards aussi se singularisent dans leur unité, de tous deux se dégagent la même douceur, la même mutinerie et le même manque flagrant de confiance en soi, et niveau peau, semblable, diaphane, blanche et laiteuse pour le père et la fille, en totale opposition, à gauche de la photographie, avec le côté italien et sanguin des deux figures féminines restantes. Les caractéristiques physiques de sa sœur ont été copiées sur celles de leur mère : des cheveux noir de jais longs et lisses, de beaux yeux en amande, un nez fin et une peau légèrement ambrée typique de la Méditerranée. Chargé de ces informations, on pourrait légitimement en conclure que les deux sœurs n'ont rien en commun et pourtant. Pour preuve, s'il venait à l'esprit de calquer leurs visages, leurs traits se confondraient en tous points, la même finesse et régularité dans leurs contours. Elles sont bel et bien sœurs, personne ne peut le nier. En définitive, seuls leurs yeux diffèrent, Alice a hérité des yeux sombres et expressifs de son père, quant à Alizée, la génétique lui a offert ceux de sa mère, des yeux d'un vert amande intense.

Tout à coup, la sonnette de la porte d'entrée retentit. Surprise, Alizée manque de lâcher prise et de laisser la photo s'exploser contre le plancher en châtaignier. L'appel ne tarde pas à trouver oreille réceptive, comme en témoigne le claquement de talons battant le carrelage du couloir annexe, détail l'informant par ailleurs de la présence de ses parents dans la maison.

La porte s'ouvre et, avec elle, pénètre une voix puissante reconnaissable entre mille, celle de sa tante Jacqueline, la sœur cadette de son père.

D'ordinaire, Alizée apprécie beaucoup sa forte personnalité ainsi que son franc-parler légendaire. Cependant, lors d'événements funèbres, la décence serait de rigueur, son exubérance exacerbée pourrait en déranger plus d'un. C'est bien simple, sa tante fait partie de ces personnes au style inimitable, si détachées du regard d'autrui qu'elles en arrivent à se ridiculiser sans éprouver la moindre gêne. À titre d'illustration, Alizée la verrait parfaitement enlever ses chaussures au beau milieu de la cérémonie, exposer ses doigts de pieds en éventail contre le sol frais, indifférente aux œillades éberluées de ses voisins de chaise. Si, au moins, elle pouvait tempérer la fréquence de ses envolées comparées à d'habitude, elle incarnerait la perfection aux yeux de sa nièce. Maintenant, il ne reste plus à Alizée qu'à croiser les doigts en espérant que son vœu se réalise.

Avant de sortir du salon rejoindre les nouveaux venus, la jeune fille jette un dernier regard par la fenêtre. La pluie a laissé place à un soleil de fin d'été qui illumine à présent un ciel outrageusement dégagé. Les oiseaux volent haut, la journée sera belle. Ironie cruelle de la vie.

— Ma canouillou ! s'écrie la fameuse tante en se levant de sa chaise au moment où Alizée franchit le seuil de la cuisine.

Tante Jacqueline est une femme qui en impose, comme on a coutume de le dire. Grande, costaude et une crinière rousse chatoyante. Alizée se félicite d'avoir lissé les siens, car il faut voir la tignasse ! Toutefois, elle salue avec malice le léger effort de sobriété qu'a fourni sa tante. En effet, on ne sait par quel miracle, son choix vestimentaire matinal s'est porté sur une robe noire fluide au-dessous du genou d'un classicisme que Alizée ne lui connaît pas, ce qui équivaut à un exploit quand on a le plaisir de la fréquenter au quotidien. Hélas, le naturel perfide revenant souvent au galop, le reste de son accoutrement détonne assez pour éclipser cet élan de standardisation. Il suffit à Alizée de poser ses grands yeux amande à la surface des pieds de sa tante pour émettre un jugement sans appel. Boudinés dans une paire de ballerines noires agrémentées de pierres précieuses factices et grossières, ses pieds paraissent enfler à vue d'œil. Et comment ne pas faire mention de ce gilet ? Bordeaux à grosses mailles avec une capuche dont un pompon blanc duveteux vient conclure chaque cordon. Le meilleur se figure au-dessus de son crâne où trône un chapeau noir à larges bords magnifiquement loufoque sur lequel se nichent de minuscules moineaux multicolores en feutrine. Certaines mauvaises langues prétendraient que Jackie se vêt avec un goût douteux et pourtant, malgré des critiques éparses dictées par son

18

propre manque de confiance en elle, Alizée qualifierait la garde-robe de sa tante d'originale à l'image de sa propriétaire elle-même haute en couleur.

— Tu m'as manqué, Tantine, avoue Alizée en se ruant dans ses bras généreux ouverts en grand.

— Toi aussi, ma poupette. J'aurais préféré te revoir dans d'autres circonstances, tu peux me croire, lui murmure-t-elle à l'oreille en lui caressant une mèche de cheveux.

Alizée est décontenancée par l'extrême gravité de sa tante, tellement éloignée de sa nature profonde si enjouée, presque éclaboussante. La coupable, ils la connaissent, ils la côtoient, elle les suit à la trace. La mort produit cet effet d'asphyxie sur la majorité des êtres aimants. Ainsi submergés, lestés de cette torpeur étouffante, ils se laissent entraîner au fin fond de leurs tourments abyssaux ressuscités de cette mort juvénile inexplicable.

— On attend encore du monde ? s'enquiert Alizée devant l'heure qui continue inexorablement de défiler.

— Ton oncle et ton père, répond Julia, sa mère, l'air passablement blasé, ils sont dans le garage à bidouiller je ne sais trop quoi.

L'oncle d'Alizée, tonton Riri pour les intimes, est aussi barré que sa femme, si ce n'est plus. Celui-ci cultive, pour ainsi dire, la branche de la bizarrerie depuis sa plus tendre enfance. Si quelqu'un entend parler d'une collection hors du commun, on pourra parier sans trop de risque que l'oncle Riri l'a déjà en sa possession. Ces collections personnelles s'étendent de la tapette à mouche de formes incongrues aux cartes postales mettant en scène des éléphants dans des situations improbables en passant par des clowns horrifiques en céramique. Leur maison, érigée pour accueillir en son sein un temple dédié à la gloire de la loufoquerie mielleusement folle et au culte de l'émerveillement enfantin perpétuel, est un joyeux capharnaüm. Ils ont réussi avec brio à se créer en l'espace de vingt ans un monde unique où il fait bon traîner.

Un instant plus tard, l'oncle en question fait une entrée remarquée des plus chancelantes, les bras débordants de cartons.

— Mais qu'est-ce que vous trafiquiez enfermés tous les deux ? les sermonne tante Jacqueline sur un ton faussement agacé.

— Ah ! C'est ton frère, tu n'imagines même pas la trouvaille qu'il a faite lors d'une brocante cet été, s'extasie-t-il tout heureux de cette nouvelle.

— Non, je n'ose l'imaginer, mon Rico chéri, et j'ai peur de le découvrir, confesse tante Jackie pendant que son époux vient embrasser sa nièce à son tour.

— C'est vrai que vous n'aviez déjà pas assez de cochonneries en réserve chez vous, il fallait que Antoine y mette son grain de sel, grommelle Julia entre ses dents.

La gaieté de la scène réjouit Alizée au plus haut point le temps d'un quart d'heure fugace. Enfin, un peu de vie dans cette foutue baraque !

À peine sa tante a ouvert le premier carton de la pile renfermant la fameuse découverte qu'elle pousse un cri de joie strident à en faire péter les tympans d'un malentendant sur le déclin.

— Je n'en crois pas mes mirettes, un éléphant psychédélique en céramique ! Cette petite merveille fait bien soixante centimètres de haut ! Certifié qui plus est, s'enthousiasme Jackie, pour le moins impressionnée, ton mari a du flair, ma petite Julia ! Tu ne sais pas la chance que tu as ! Oh oui, il en a à revendre, y a pas de doute !

— Oui, pour cela, il n'en manque pas, c'est certain… siffle Julia.

Et encore une désobligeance à ajouter à la longue liste des amabilités typiquement *juliesques*.

Apparaît bientôt dans l'entrebâillement de la porte donnant sur le jardin le tant attendu père de famille vêtu de son plus beau costume noir. Les voilà au complet.

— Je crois qu'il est temps de se mettre en route, annonce-t-il à l'assemblée avec la solennité qui s'impose en gardant un pied dehors, déjà prêt à faire demi-tour.

Tous obéissent, tels des automates abandonnés de cette joie éphémère. Les costumes et les toilettes sont ajustés une ultime fois par réflexe, un mouvement irréfléchi teinté d'un courage feint.

Faux départ. Ce qui doit arriver arrive, ils sont déjà en retard et il n'y a rien d'étonnant au constat de cette issue quand on sait que Jackie leur a fait tout un foin à cause d'un foulard sur lequel elle ne remettait plus la main. Résultat, la double paire d'adultes s'est retrouvée à quatre pattes dans la voiture de l'oncle et de la tante en quête du mystérieux châle évanoui. Alizée, restée à l'écart de la fouille en règle poussée par le manque évident de place dans l'habitacle, a jugé bon d'observer la scène cocasse de l'extérieur. Après un gros quart d'heure d'investigations infructueuses, la fantasque tantine s'est soudainement rappelé l'avoir utilisé lors d'étranges séances de suspensions humaines et d'attaches à gogo, une information intime dont l'adolescente se serait allègrement passée, mais quand il faut y aller, il faut y aller.

Le cœur d'Alizée se serre au moment où la mini maternelle se gare sur le parking de la chambre funéraire tant la quantité de véhicules présents l'émeut et la touche au plus profond.

Ses parents n'étant pas catholiques, la décision du lieu exclusif de cérémonie s'est portée sur la salle de la chambre funéraire communale mise à la disposition des familles. Alizée en a été soulagée, grâce à leur athéisme, elle va pouvoir échapper au discours déconnecté et pompeux d'un homme d'Église. Une relative bonne nouvelle.

Tandis que Alizée s'approche en compagnie de ses parents de la foule agglutinée devant l'imposante bâtisse moderne, elle s'étonne immédiatement de ne reconnaître qu'une poignée de personnes parmi elle, la famille proche et les amis d'Alice pour l'essentiel. Bientôt, un jeune homme au beau milieu de cet amas de corps attire son attention. C'est le petit ami d'Alice, Vincent, dix-neuf ans, cheveux tondus à ras, piercings en constellation sur le cartilage droit de son oreille, dragon celte sur le bras droit aujourd'hui totalement dissimulé et lunettes noires opaques. Personne ne lui ressemble et, lui, ne ressemble à aucune autre. Dire que Alizée est en totale admiration devant lui est tout sauf exagéré, elle aime son détachement perpétuel, elle aime aussi le fait qu'il assume l'intégralité de ses choix comme celui de devenir médecin légiste alors que son look naturel ne s'y prête pas, mais aujourd'hui, il l'impressionne par son élégance, le costume-cravate lui va comme un gant.

Le chemin d'Alizée se sépare de celui de ses parents lorsque ces derniers se dirigent d'une seule entité vers un petit homme d'âge mûr affublé de lunettes rondes cerclées de métal blanc, sans doute, le responsable des lieux. Ne souhaitant pas rester plus longuement seule à patienter en silence, Alizée entreprend de faire le tour du bâtiment. Au bout d'une vingtaine de pas suivant le premier tournant du bloc de plâtre blanchâtre, elle remarque une ouverture dans le mur auparavant rectiligne et s'y engouffre aussitôt. Parasitée de préjugés, elle s'est attendue à pénétrer dans une pièce froide et impersonnelle. D'ailleurs, comment pourrait-elle se tromper ? C'est l'endroit adéquat pour accueillir ce type d'ambiance. Imaginez, s'il prenait la saugrenue idée aux pompes funèbres de recouvrir les murs d'un rouge velours chaleureux et d'installer une lumière tamisée intimiste, on les prendrait pour des fous gâtés d'insensibilité chronique. Les gens viennent ici pour se recueillir et pleurer, non pour se détendre ou prendre du bon temps.

À la seconde même où elle pose le pied sur le carrelage blanc en losanges, Alizée se glace en apercevant en son centre le cercueil en bois de cèdre. Autour de cette boîte renfermant la mort, des murs blancs neutres délimitant un espace dénué de tout mobilier à part des rangées de chaises séparées du reste de la pièce par un cordon rouge bordeaux, unique touche de couleur, qui ne laisse aucune place au doute quant à l'usage de cet endroit.

Chose rare, le cercueil n'est pas ouvert au public, ce qui signifie que, hormis ses parents à la morgue, personne d'autre n'aura donc l'occasion de voir Alice une dernière fois avant qu'on vienne la leur enlever. Dans ses pensées brumeuses, Alizée aperçoit un couple de silhouettes inattendues entre ses quatre murs. Un homme aux cheveux poivre et sel, accompagné d'une petite dame, vêtue d'une longue robe noire en mousseline, se tient debout face à l'imposante demeure mortuaire. Depuis quand se trouvent-ils là ? Pourquoi n'ont-ils pas daigné attendre la présence de la famille avant de se pointer ici ? Et surtout, en ont-ils seulement le droit ?

Son sang ne fait qu'un tour. S'octroyer ainsi le droit de violer l'intimité d'une famille alors que celle-ci végète derrière des portes hermétiquement fermées est scandaleusement révoltant. Les sourcils froncés, Alizée se dirige vers eux à vive allure, décidée à ne pas laisser passer cet affront.

— Tu te rends compte, la pauvre... Un accident de la route. Tu te souviens de l'enterrement de mon grand-oncle ? Le cercueil était ouvert, mais là, imagine, le corps de cette jeune femme, il doit être en charpie... méconnaissable... Ils ont bien fait de ne pas la montrer au public, elle doit être horrible à voir, chuchote cet homme odieux à sa femme immobile.

Puis, débarrassé de ces mots infâmes, il se retourne et tombe nez à nez avec une Alizée bouillonnante de fureur.

Qui est ce sale connard pour parler de sa sœur sur ce ton détaché insultant ? Pour qui se prend-il, cette enflure, à manquer de respect à une fille pétillante de dix-neuf ans révolus à qui la vie a été retirée ?

Rien qu'à contempler l'air abruti de cet homme, Alizée comprend qu'il ignore l'identité de celle qui le fusille du regard. L'ignominie de la situation lui échappe.

Les mains de la jeune rousse, animées de colère, lui dictent de lui en flanquer une bonne. Elle meurt d'envie de répondre à leur appel et lui asséner une trempe corrective digne de son injure.

Hélas, on ne lui laissera pas le temps d'assouvir son fantasme, les portes principales viennent de s'ouvrir en grand, laissant ainsi gicler un flux de corps sans visage. Alizée les voit prendre place, grossis par le couple d'intrus, en rang docile longiligne du fond jusqu'au cordon rouge, limite marquant la séparation de la famille de la défunte d'entre la foule inconnue.

Enterrement : événement final d'une vie, ultime hommage rendu à un être cher où la tristesse se mêle à la mélancolie, où les regards se vident et s'embrument. Un enterrement, quand on y réfléchit, se résume à se retrouver seul parmi les autres. Chaque personne présente dans l'assemblée imagine sa propre mort, peut-être même que certains divaguent à propos du scénario de leur hypothétique cérémonie funéraire, se demandant s'ils sont aimés par leur entourage ou encore, s'imaginant parier sur le visage de ceux qui auraient l'obligeance de venir leur offrir un dernier témoignage d'affection. Alizée n'en serait pas surprise, la plupart des gens sont si gerbant d'égocentrisme et d'égoïsme.

Y a-t-il réellement une différence entre une mort survenue des suites d'une longue maladie et celle soudaine issue d'un accident ? Certainement. Dans l'un, un laps de temps plus ou moins conséquent est accordé aux proches pour se préparer à l'inévitable, dans l'autre, la violence du choc vient vous frapper en pleine face sans crier gare. Non pas que ce soit plus simple quand une maladie annonce la couleur au préalable, non, la vie s'échappe et s'évanouit, quel que soit le cas de figure, mais l'approche est abordée d'une différente manière. Dans un accident inattendu, aucun signe avant-coureur ne point pour nous avertir trois-quatre mois avant échéance. Non, là, on apprend la funeste nouvelle fracassante dans la minute. Une minute destructrice qui engloutit dans sa gueule béante fumante ce qui a attrait à la vie. C'est une bombe qui désagrège toute forme de vie ou de joie dans son sillage jusqu'à ne laisser pour vestige qu'une peine inconsolable. Une détresse résiduelle nichée au fin fond de l'estomac sillonnant tel un dragon cracheur de colère inondant et désintégrant l'existence de sa langue de feu à des kilomètres à la ronde.

— Nous allons maintenant écouter Vincent, le compagnon d'Alice, annonce l'un des croque-morts au micro du pupitre.

La foule bruisse au son du frottement produit par la chaise de l'intéressé, indice incontestable de son arrivée imminente. Alizée, quant à elle, se frotte les paupières, consciente de s'être évadée durant les laïus prononcés en préambule par le personnel funéraire. Revenue parmi les siens, elle cherche la raison pour laquelle l'amoureux d'Alice s'extirpe du public impersonnel face à eux alors que sa place légitime se trouve de l'autre côté du cordon, avec la famille ? C'est à n'y rien comprendre. Non seulement Vincent affronte l'absence de reconnaissance de son statut particulier, mais encore, il pousse le trait à les saluer, ses parents et elle, d'un bref mouvement de tête dès lors qu'il franchit le seuil de leur champ visuel.

Un regard furtif accordé au cercueil, des pas déterminés sur le carrelage dur et froid, un raclement de gorge distinct, ses lunettes noires posées sur le devant du pupitre, un papier déplié sorti de la poche de son costume, et le voilà maintenant prêt autant que faire se peut à exposer son cœur poignardé à la horde de voyeurs.

— Alice, commence-t-il les yeux baissés avant de s'interrompre brusquement, se reculant de plusieurs centimètres, surpris par l'intensité sonore anormalement élevée du micro, Alice était tout pour moi… Elle était ma meilleure amie, ma confidente, mon âme sœur. L'idée de devoir passer le reste de ma vie sans elle m'est inconcevable. Aucun de ceux qui l'ont connue ne l'oubliera, elle faisait de chaque moment en sa compagnie quelque chose d'unique. La vie avec elle paraissait plus belle, il suffisait qu'elle rie et notre monde passait de la fadeur à l'exceptionnel. Elle va nous manquer, à nous, sa famille, ses amis. Bien sûr, le temps fera son œuvre, après un certain temps, certains d'entre vous reprendront le chemin tracé de leur existence quand d'autres resteront amputés à jamais par cette déchirure. Nous l'aimions, nous l'aimons, et ça, personne ne pourra nous l'enlever… Je… Je… Je terminerai mon éloge en vous lisant un poème de Victor Hugo intitulé *Ce que c'est que la mort*.

Après une longue inspiration, il reprend d'une voix blanche :

« Ne dites pas : mourir ; dites : naître. Croyez.
On voit ce que je vois et ce que vous voyez ;
On est l'homme mauvais que je suis, que vous êtes ;

On se rue aux plaisirs, aux tourbillons, aux fêtes ;
On tâche d'oublier le bas, la fin, l'écueil,
La sombre égalité du mal et du cercueil ;
Quoique le plus petit vaille le plus prospère ;
Car tous les hommes sont les fils du même père ;
Ils sont la même larme et sortent du même œil.
On vit, usant ses jours à se remplir d'orgueil ;
On marche, on court, on rêve, on souffre, on penche, on tombe,
On monte. Quelle est donc cette aube ? C'est la tombe.
Où suis-je ? Dans la mort. Viens ! Un vent inconnu
Vous jette au seuil des cieux. On tremble ; on se voit nu,
Impur, hideux, noué des mille nœuds funèbres
De ses torts, de ses maux honteux, de ses ténèbres ;
Et soudain on entend quelqu'un dans l'infini
Qui chante, et par quelqu'un on sent qu'on est béni,
Sans voir la main d'où tombe à notre âme méchante
L'amour, et sans savoir quelle est la voix qui chante.
On arrive homme, deuil, glaçon, neige ; on se sent
Fondre et vivre ; et, d'extase et d'azur s'emplissant,
Tout notre être frémit de la défaite étrange
Du monstre qui devient dans la lumière un ange.

Alice. De tout mon cœur, pour toujours. »

Et il replie son morceau de papier sans jamais détacher le regard de la base du micro attaché au pupitre auquel il s'accroche de toutes ses forces affaiblies pour ne pas flancher.

Un silence pesant fait suite à ce discours amoureux empreint de retenue, fruit d'un profond respect vis-à-vis d'un jeune homme de dix-neuf ans qui a su faire preuve d'une maîtrise de soi hors pair ainsi que d'une immense dignité. À sa place, Alizée se serait effondrée à genoux ou, au mieux, n'aurait fait que sangloter tout du long, massacrant au final un texte écrit à l'avance, surfait et maladroit. Jamais elle ne se serait sentie capable de surmonter une épreuve aussi ardue. Mettre des mots sur son manque, son chagrin, sur ce poids vide et en même temps si lourd qui lui pèse sur le ventre équivaudrait à devoir marcher sur des braises ardentes, à franchir un terrain que l'on sait à l'avance miné, à engloutir une pomme empoisonnée ou encore à dégoupiller une grenade, la garder au chaud dans la paume de sa main en patientant sagement qu'elle lui explose à la figure et déchiquette son corps en centaines de milliers de particules organiques.

La suite des obsèques civiles se déroule dans une veine semblable, succession de mots entrecoupés de sanglots sur base de voix hésitantes et chevrotantes d'émotion. De plus, le public n'est pas en reste quant au registre de manifestations épidermiques, lorsque certains hoquettent, d'autres ont des réactions inimaginables et improbables comme cette femme au premier rang, cintrée dans une robe bleu marine à volants qui a littéralement hurlé à un moment donné, sortant d'un violent uppercut le troupeau de zombies anesthésiés de leur léthargie pétrifiante.

Pendant ce temps, Alizée n'explose ni ne crie, non, son regard couleur vert d'eau est plongé sur le réceptacle de bois placé à sa droite. Que penserait sa sœur de ce spectacle qui lui est offert ce matin ? Probablement serait-elle touchée, mais peut-être aussi, à l'instar de sa sœur cadette, serait-elle gênée de voir une foule d'inconnus défiler sans une once de pudeur devant son cercueil.

La séparation créée par cette corde veloutée donne l'étrange impression à Alizée de s'être réincarnée en une bête curieuse dont on viendrait épier et scruter le moindre fait et geste. La moitié des gens les regardent avec une compassion suintant la pitié. Qu'importe ces témoignages d'affection plus ou moins sincères, Alizée se refuse à les accepter, en particulier ceux de la part de personnes dont elle ignore le nom. Qu'ils s'abstiennent, elle, elle s'en fout pas mal.

La procession achevée, tous se résignent à sortir de la chambre funéraire. Tous, excepté Alizée restée clouée à sa chaise. Il nécessitera l'intervention d'une main extérieure pour parvenir à la lever. Elle obtempère aveugle au visage du sauveteur à l'image d'une poupée de chiffon inanimée inconsciente. Vient-il de sa mère ? De son père ? Ou d'une âme encline à offrir son aide ? Elle ne cherche pas à le savoir, préférant se laisser guider au cercueil. Une fois seule à ses côtés, elle parcourt d'une main cotonneuse le long de son doux revêtement et regarde du coin de l'œil la photo posée en son sommet où sa sœur encore insouciante, lors d'une séance chez un photographe professionnel, sourit de ses belles dents immaculées.

— Tu sais, petite, ta sœur est mieux où elle est. Dieu a ramené à lui un ange précieux. Elle est désormais en sûreté aux côtés du Seigneur, plus rien ne peut lui arriver, vient lui dire une femme de la soixantaine venue à sa rencontre lors de sa sortie du bâtiment.

Sidérée, Alizée ne réagit pas. Au lieu de cela, elle reste plantée là, sonnée, adossée au mur devant l'entrée de l'édifice.

— HAAAAAA MAIS NOOON, CE N'EST PAS POSSIBLE, DITES-MOI QUE JE RÊVE ! DITES-MOI QUE JE SUIS DEVENUE SOURDE COMME UN POT, TELLEMENT SOURDINGUE QUE JE FANTASME DES PAROLES INSENSÉES ! JE N'AI PAS PU ENTENDRE CE QUE J'AI CRU ENTENDRE ! hurle d'un coup tante Jackie, jusque-là si calme, bondissant de derrière l'adolescente telle une lionne prête à défendre l'un de ses petits.

Ces cris inattendus ont toutefois le mérite de délivrer Alizée de la stupéfaction dans laquelle l'a enfermée la réplique de la vieille bique.

— Comment oses-tu ? continue Jackie sur sa lancée en agitant au-dessus de sa tête son sac à main confectionné de plumes d'oiseaux synthétiques, comment oses-tu dégueuler ces phrases immondes devant elle ? Elle vient de perdre son unique sœur, tu comprends ? On aurait pu espérer échapper à ces conneries de culs bénis en choisissant une cérémonie civile, penses-tu ! Vous êtes partout ! Crois-moi, tu as une sacrée chance que je me retienne. C'est à cette jeune que tu la dois parce que si je m'écoutais, je te ficherais ma main dans ta sale petite face de bigote frustrée !

— Que... que... bafouille l'attaquée, terriblement outrée.

La mine scandalisée, la dame à l'esprit étriqué opte pour le repli, incapable de formuler une réponse audible. Seuls des mots épars saccadés parviennent à ramper de la benne qui lui fait office de bouche.

Le voilà, l'un des traits de personnalité de Jackie adorés d'Alizée : une faculté hors norme à claquer des répliques cinglantes au visage des empêcheurs de tourner en rond.

— Vraiment pas croyable ! Ne fais surtout pas attention à cette peau de vache. Elle passe sa vie en compagnie de bénitiers, ça a dû attaquer son restant de cervelle. Si tu veux mon avis, elle devrait passer davantage de temps à faire des galipettes sous la couette, elle se dériderait un peu. J'ai tort ? plaisante sa tante avant de gratifier sa nièce d'une caresse salvatrice à la racine de ses cheveux.

— Je dirais que non, acquiesce Alizée, pouffant malgré elle devant le surréalisme de la scène.

— Tu es sûre que ça va aller, bichette ? Tu n'as pas envie de hurler ou de frapper un truc ? Vas-y, lâche les chiens ! Ne fais pas attention aux autres, essaie, ça te fera un bien fou.

— Non, pas la peine… C'est juste que j'ai été prise de court, je ne m'y étais pas préparée…

— AH ! J'aurais dû anticiper son manège. Elle s'améliore pas avec les années, celle-là… Ta grand-mère nous en parlait déjà quand ton père et moi, on était ados, son discours ne varie pas d'un iota depuis des lustres, toujours les mêmes inepties sectaires. Tu imagines une nénette de vingt ans et des poussières déblatérer ces débilités ? Infatigable ! Cette femme ne cesse de me désespérer ! Où est ta mère ? demande-t-elle ensuite, passant du coq à l'âne comme personne.

— Elle parlait avec mamie tout à l'heure. Mamie, enfin… Avec sa mère, quoi.

— D'accord, ne bouge pas, ma jolie, j'en ai pour cinq minutes, pas une de plus, lui promet-elle, la laissant en plan sans lui donner de plus amples informations.

La tête encore en vrac, Alizée obéit hypnotisée par le sillage de sa tante *wonderwoman* dans la foule, puis s'assied à l'écart de l'agitation sur un bout de pelouse mouillée de la rosée matinale.

Jackie revient avec une question pour sa nièce : « Veux-tu faire le trajet avec nous ? » ce à quoi la sondée acquiesce.

Ici ou ailleurs, avec ou sans eux, cela ne fait pas une grande différence selon elle.

Durant le trajet plombé d'un lourd silence, sa tante lui lancera des œillades inquiètes, via le rétroviseur central, auxquelles Alizée, ankylosée par son ravage intérieur, n'y répondra pas. Il faudra attendre leur arrivée sur le parking de leur seconde étape pour qu'elle sorte de son mutisme.

— Ne me dis pas qu'on est les premiers ? Les autres, ils font quoi, nom d'un bouc ? Dis-moi, Ricardo, on ne se serait tout de même pas trompé de route ? Il manquerait plus que ça, panique Jackie en constatant le nombre de véhicules dérisoire garés à leurs côtés et l'absence du corbillard, en particulier.

Pour qu'elle nomme son époux par son prénom, cela ne signifie qu'une seule et unique chose : son inquiétude grandissante.

— Bien sûr que non, regarde le panneau ! C'est écrit là, noir sur blanc, indique son oncle, un poil vexé, en désignant une pancarte *Crématorium du bois d'amour* du doigt.

— Oui, bon, admettons et s'il y avait plusieurs crématoriums dans le coin, t'y as pensé à ça, gros malin ?

— Arrête ton cinéma, il y a peu de risque ! Il est à proximité de la ville alors c'est celui-là ! CQFD !

À ces mots, la mini noire de Julia fait autant crisser les gravillons à son apparition que soupirer d'apaisement les trois Robinson.

— Qu'est-ce que je t'avais dit ? Ton mari n'est pas la moitié d'un abruti, déclare Ricardo, pour le moins soulagé d'avoir échappé à un cheveu de la catastrophe.

En guise de réponse, Jackie remplit ses joues d'air comme elle le fait les fois où un malheureux la contrarie, tourne les talons illico vers le véhicule sombre avec Alizée à son bras, laissant ainsi son époux à l'arrière, resté comme deux ronds de flan.

La fin du ballet automobile retardataire finira de sonner le second acte funéraire. Dorénavant au complet, Antoine, le père d'Alizée, se met à gravir les marches qui l'éloignent des lourdes portes d'acier du bâtiment pour bientôt venir les frapper de son poing fermé. Après un léger flottement, elles s'ouvrent enfin sur deux hommes sinistres vêtus de noir, une mine grave de circonstance plaquée sur le visage. Le troupeau entier comprend le signal de départ de la marche. La traversée guidée des deux anges noirs est rapide, à peine une trentaine de pas suffisent à les amener dans une pièce d'une clarté neutre. Chacun prend place en silence avec toujours cette même distinction, la famille, au premier rang, les proches et plus ou moins proches, derrière. Mais alors qu'elle voit s'avancer la silhouette de Vincent vers elle, Alizée ne réfléchit pas et l'agrippe par la manche pour le faire asseoir à sa droite. Personne ne lui fera dire le contraire, sa place est ici auprès d'eux et nulle part ailleurs. Ni son père ni sa mère n'objectera à l'encontre de ce geste, ils la laisseront faire, Vincent également.

Le menton baissé, Alizée ne fait pas attention à ce qui se déroule devant son nez, choisissant à nouveau l'option de la temporaire évasion que lui offre l'écoute d'une chanson d'un groupe français des années soixante-dix, *C'est comme ça que je m'en vais* de *Il était une fois*. Les goûts musicaux d'Alice l'ont souvent fait sourire par le passé. La grande majorité des titres et des artistes que sa sœur affectionne sont soit des chansons sorties avant sa propre naissance, soit carrément créées par des chanteurs ou des musiciens morts depuis une vingtaine d'années minimum. Rien de ce qui se fait de nos jours ne lui plaît et en quelque sorte, cela contribue à son originalité. La chanson suivante, *J'te le dis quand même* de *Patrick Bruel*, contredira la théorie exprimée précédemment par Alizée, car si le morceau n'est pas d'une fraîcheur extrême, son écriture ne remonte néanmoins pas à quarante années en arrière.

Son attention recentrée, Alizée découvre avec émotion sur fond du *Paradis blanc* de *Michel Berger*, d'une part, la main froide de Vincent resserrée sur la sienne, de l'autre, non sans un certain effroi, le panneau en face du réceptacle en bois noble, ouvert en grand, dévoilant un trou sombre dont on ne perçoit pas le fond. Bientôt, un représentant des pompes funèbres vient actionner un levier qui, doucement, provoque la montée du cercueil à hauteur de la bouche béante de Dante. Puis, après un bruit sec métallique, la vaste boîte où gît le corps meurtri de sa sœur vient s'y engouffrer dans une lente progression jusqu'à disparaître à tout jamais de leur vue. L'épreuve de la crémation représentera l'événement le plus douloureux à vivre de cette journée mortuaire pour Alizée. Même la mise en terre ne lui infligera davantage de souffrance, tant et si bien qu'elle assistera à cette scène déconnectée de son propre corps, yeux rivés sur les rhizomes enchevêtrés des arbres, ornement végétal du cimetière, les membres inférieurs statufiés, un à un, paralysés. Alors, c'est donc ça, la mort ? Nous sommes tous voués, jeunes et vieux confondus, à finir ainsi, tragiques et pathétiques. Une cérémonie, un cercueil, une tombe et on n'en parle plus ? De quoi se flinguer pour de bon…

En pénétrant dans le salon, les convives survivants de ces dernières heures découvrent un opulent buffet installé le long d'une table interminable suivant la ligne de la cheminée marbrée. Manger. Comment peuvent-ils y songer ? L'estomac d'Alizée, lui, est tiraillé à un point tel qu'un seul de ces feuilletés le retournerait.

— Prends au moins un morceau de cake aux olives, fillette. Il ne faudrait pas que tu tombes dans les pommes, lui recommande doucement Vincent à ses côtés derrière plusieurs personnes amassées devant ledit buffet.

Un homme se retourne les paumes pleines de petits fours. Le type louche. Alizée n'en est pas fière, mais les personnes atteintes de strabisme ont toujours eu le chic de l'angoisser. Pour quelle raison ? Probablement à cause de la difficulté qu'il y a à deviner le point d'impact de leur regard.

— Espèce de ramollie du bulbe, à force de passer ta satanée vie fourrée dans tes églises, tu oublies l'essence même de la vie. Alors, cesse de prodiguer la bonne parole et laisse-nous respirer, nous, pauvres mécréants que nous sommes.

C'est encore tante Jackie qui se dispute avec la grand-tante. « Ramollie du bulbe », voilà une injure digne du bougon Capitaine Haddock. Avec ses « bachibouzouks », « moules à gaufres », « ectoplasmes » et autres « crétins des Alpes », la saillie de tante Jackie n'aurait pas fait tache dans la liste des célèbres répliques imagées du loup de mer.

— Co... com...ment, mais quel irrespect ! s'étrangle la « zouave » offusquée et haletante en crachant le reste de l'amuse-bouche dans son mouchoir finement brodé, me faire traiter de la sorte, c'est un scandale ! Où est Julia ? Mais où est-elle ? Je dois m'entretenir avec elle de toute urgence !

— Il y a vraiment des gens étranges dans votre famille, observe Vincent alors que la vieille sort du salon les bras en prière vers le ciel.

— M'en parle pas, j'ai presque honte...

Les deux se mettent à rire malgré eux quand, soudain, la sonnerie du téléphone fixe retentit dans le salon. Personne ne bouge. Alizée cherche du regard ses parents, mais ne les trouve pas. En l'absence de décrocheur, le répondeur se déclenche :

« Salut, c'est Alice et Alizée, nos parents ne sont pas disponibles pour le moment, et nous, on est de sortie alors c'est pas de bol pour vous ! Mais laissez-nous un message, nos parents s'en (…) »

Aucun autre convive n'entendra la suite du message d'accueil, pour cause, Alizée, poussée de désespoir, s'est précipitée sur le téléphone pour arrêter au plus vite cette torture. Dans sa hâte, elle a arraché la prise du poste sous les yeux hébétés de l'assemblée figée sur place.

Silence, toujours.

Elle a beau sentir leurs regards dans son dos, elle s'en tape. Ils n'ont qu'à la juger, la trouver pitoyable, grand bien leur fasse, ce n'est pas son problème, car devoir entendre la voix de sa sœur ici entourée de ces gens lui arrache les entrailles du bide par la bouche. C'est au-dessus de ses forces, elle n'en peut plus. Il faut que cette mascarade cesse, que cet horrible jour se finisse au plus vite.

Durant un temps paru infini, elle reste prostrée au sol, le visage enfoui dans ses mains glaciales, à supplier de toutes ses forces que ces indésirables se tirent pour de bon, qu'ils la laissent avec ses parents, ou mieux, seule. Elle demeure au sol encore un long moment, proche du point de rupture, se laissant submerger par des spasmes incontrôlables, jusqu'à ce qu'un imprudent vienne brusquement la sortir de l'état second dans lequel elle a sombré, en posant la main sur son épaule. Qui vient la toucher sans y être invité ? Qui peut bien se sentir si effronté pour oser rentrer dans son espace intime et la tirer de sa douce léthargie ? Et si, par malheur, cette satanée grande tante catho intégriste pourrie par son incurable litanie chrétienne à la con en est la coupable, elle se prendra une droite direct dans la figure. Au point où elle en est, un pétage de câble supplémentaire ne scandalisera plus grand monde. On ne l'a sûrement pas attendue pour l'étiqueter comme sujet psychologiquement instable.

De mauvaise grâce, Alizée relève le menton vers l'intrus, déjà prête à l'offensive. Un regard et un choc analgésique, à l'intérieur de son cerveau, est provoqué, le propriétaire de cette main vagabonde, familière et inattendue n'est autre que celle de Vincent qui ne l'a jamais quittée. Vincent ou le fantasme de l'ami fidèle parfait, encore et toujours là. Toute personne peut trouver en lui le confident inespéré aux petits soins perpétuels. C'est le bon samaritain par excellence, constamment à l'affût de celui ou celle en perdition.

— Quelqu'un peut-il m'expliquer ce qui se passe ici ? Voyons, que quelqu'un se décide à parler, s'époumone la mère d'Alizée qui débarque enfin d'on ne sait où.

Il lui requiert peu de temps pour comprendre que l'incident est lié à sa fille qui, tête baissée, au centre de la pièce, se relève péniblement à la force de l'appui essentiel de Vincent.

— Je l'amène à l'étage, madame Langlois, elle a besoin de repos, l'informe-t-il sans tarder avant d'inciter l'adolescente à avancer vers les escaliers.

Quand Alizée ouvre les paupières, la pénombre a recouvert de son épais voile tout élément à sa portée. Sur sa table de chevet, un mot griffonné sur l'envers glacé d'un prospectus du conservatoire. Il y est écrit :

Appelle-moi quand tu veux. 22 h, 00h, 4 h, je te répondrai, mon sommeil est aléatoire.
Je t'embrasse, petite guerrière.

Vince

Cette attention lui offre son unique sourire en vingt-quatre heures. Adorable. Sans lui, sans sa boussole, elle serait perdue.

Le constat du débarras des couillons confirmé, Alizée entreprend de descendre au rez-de-chaussée soulager sa gorge sèche. Ce projet anodin en apparence rencontre aussitôt un obstacle de poids, sa meilleure ennemie : l'angoisse. La porte de la chambre d'Alice est entrouverte. Étrange, elle aurait pourtant parié avoir vu cette porte restée close ce matin. Entre-temps, personne n'a dû monter hormis Vincent et elle.

En dépit de son appréhension, Alizée s'approche et pousse la porte en grand. Le temps s'est comme figé dans cet espace clôturé de ses quatre murs, rien n'a changé. Chaque objet appartenant à Alice occupe sa place d'origine : les posters de la saga du Seigneur des Anneaux épinglés au mur, sa collection de mangas shojo, ses livres de Droit, la trentaine de CD qui trônent au-dessus de sa bibliothèque remplie… Cette chambre ressemble désormais à s'y méprendre à un mausolée dont plus aucun être vivant n'ose franchir le seuil de peur de violer une mémoire passée. Mais le plus dur pour Alizée est ailleurs. Oui, ce qui la trouble, c'est de voir ce lit banalement défait, signe d'une vie encore présente et fraîche. Difficile également pour la jeune fille de s'imaginer ouvrir la commode de sa sœur et découvrir ces vêtements que personne ne portera plus jamais. Contempler ses robes, ses pull-overs, ses tee-shirts et ses jupes lui ferait remonter trop de souvenirs qu'elle tente, en vain, déjà à l'heure actuelle, d'étouffer. Comme il est fou de constater qu'un drame survenu dans une vie travestit souvent l'ancien bonheur en vestiges douloureux du passé.

Un détail, vers le coin droit de la couette d'où un tissu bariolé dépasse du dessous, vient bientôt, attiré son regard. Une couette en plein été ? Oui, Alice était frileuse. Lentement, Alizée progresse en petits soubresauts successifs sur l'amas de plumes d'oie et s'en empare en tirant dessus d'une main légère. Son cœur s'accélère d'un coup lorsqu'elle y reconnaît là l'un des foulards préférés de sa sœur. Alice en avait un pour chaque saison de l'année, celui-là, avec ses couleurs chatoyantes, était préposé à la saison automnale.

Guidée par un instinct nostalgique irrépressible, Alizée se surprend à enfouir son visage à l'intérieur du long châle encore imprégné du parfum de sa sœur. Ses fibres laissent échapper une fine alliance de lys et de rose, une fragrance portée et reportée par Alice. Les yeux remplis de larmes, Alizée se lève, chancelante. Elle donnerait tout pour que sa sœur rentre en furie, furieuse de la trouver dans sa chambre sans sa permission comme elle avait déjà pu le faire auparavant. Elle aimerait dépenser son énergie à se justifier, mais, là encore, le fantasme a pris le pas sur la réalité. Cette époque insouciante s'est évanouie. C'est alors qu'en se retournant, elle remarque une robe, la robe d'Alice, celle des grandes occasions, en mousseline d'un rouge éclatant et au décolleté échancré, déposée nonchalamment sur le dossier de sa chaise de bureau. C'est la robe de leurs derniers feux du 14 Juillet célébrés ensemble. Ce soir-là, un violent orage a éclaté peu après les dernières pétarades, trempant les deux frangines jusqu'aux os. Qu'est-ce qu'elles ont pu rire de cette mésaventure !

C'en est trop pour la jeune fille de quatorze ans, elle ne peut en affronter davantage. Heure après heure, cette journée entière n'a fait que la violenter plus que de raison, l'accablant de sentiments multiples et d'évocations du passé maintenant souillé. Par malheur, contrôler un flot continu de pensées assaillantes relève d'un exploit presque surhumain. Songer au futur qu'elles auraient dû partager réunies lui fait un mal de chien. La mort leur a volé cet avenir. Leur devenir commun a disparu avec cette jeune femme bouillonnante de projets dans la nuit de vendredi. Si proches, si fusionnelles et maintenant, si éloignées, et ce pour l'éternité. On leur a arraché leur avenir, on leur a anéanti leur vie sans une miette de pitié. Quelle faute impardonnable ont-elles commise pour que le destin nourrisse à leur encontre cette haine vengeresse ? Alizée voudrait connaître la nature de l'acte méritant la punition suprême, elle voudrait savoir ce qu'elle a fait pour être chargée d'un poids si lourd. Sa sœur était sa complice, son modèle, son exemple à suivre. À partir d'aujourd'hui, qui va l'aider à avancer ? Qui va l'accompagner dans les étapes clefs de son parcours ? Dorénavant, elle doit marcher seule, délestée des conseils avisés d'une grande sœur bienveillante. Jamais plus elle ne mettra ses pas dans ceux de son aînée. Comment survivre dans cette jungle abandonnée de son guide attitré ? Alice a trébuché, a fait les bêtises avant elle, Alizée n'avait plus qu'à apprendre des erreurs de sa sœur et veiller à ne pas les reproduire. Et voilà qu'elle perd ce privilège. La vie n'est qu'une pomme pourrie par le ver de l'injustice. Les milliers de jeunes dont le quotidien est rythmé de banalités successives lui font envie. Banal. Comme elle apprécie la signification de ce mot, elle qui mourait de redécouvrir son existence teintée de cette monotonie si ennuyante qu'elle en devient rassurante. Elle ne descendra pas plus bas. De l'eau, elle en obtiendra à foison au robinet de sa salle de bain.

Le matin venu, Alizée ne parviendra pas à trouver la force de se nourrir. Dormir, elle voudra dormir, dormir, dormir et dormir encore, se laisser bercer par les songes brumeux de son subconscient. Elle ne décollera pas de son lit aujourd'hui, parents ou non. Pas un commencement de faim ne se fera ressentir et aux tintements de vaisselle perçus de l'étage, ses parents, contrairement à leur fille, auront envisagé cette éventualité. La nourriture rassure, dit-on. Or, ils auraient dû avoir leur dose avec celle servie lors du conséquent buffet de cérémonie. Peut-être s'apprêteront-ils justement à en manger les restes, laissant l'estomac d'Alizée seul dans sa lutte de digestion en différé.

Le mois d'août s'achève, l'immobilisme d'Alizée, lui, continue. Elle observe son environnement resté inchangé. Les oiseaux chantent, les voitures circulent, les enfants du quartier piaillent comme ils auraient piaillé il y a deux semaines, indifférents à son sort. Ces nains s'animent à l'inverse d'Alizée, morte de l'intérieur, prisonnière de ses pensées morbides. Plus rien ne l'atteint. Elle est devenue aveugle et sourde au monde. Elle ne sourit plus, elle ne s'énerve plus, même lorsque sa peste de voisine l'interpelle dans la rue de sa voix haut-perchée exaspérante en l'appelant *l'irlandaise*. L'encéphalogramme plat. La voici apparentée à une statue de sel, un ersatz d'être humain que l'on aurait pétrifié et laissé pour mort. Être ainsi exclue du monde ne la révolte pas. Elle s'en tape. Le train poursuit sa route pendant que Alizée, éteinte, le regarde passer avec une désinvolture désintéressée. Elle n'a plus goût à rien, la musique ne parvient plus à l'émouvoir comme avant où chaque parcelle de sa peau frissonnait dès que les premières mesures d'*Aria*, une composition de Jean-Sébastien Bach, son auteur-compositeur classique favori, retentissaient. Elle se complaît désormais dans un ennui douillet, trouvant plus honnête d'agir de la sorte plutôt que de prendre part à ce carnaval que le commun des mortels nomme *la vie*. Elle avoue avoir traversé maintes et maintes fois la route depuis cette nuit du 17 août sans regarder si la voie était libre, poussée par le secret espoir de se faire renverser par un automobiliste peu alerte et mourir. Elle retrouverait sa sœur, son calvaire prendrait fin. Ses plaies se refermeraient, elle ne souffrirait plus à ses côtés.

Avec elle, elle soufflerait.

Avec elle, elle expirerait.

Deux options. La vérité ou la mort.

Le 2 septembre, Alizée se lève le jour de sa rentrée accompagnée d'une drôle d'idée : appeler Vincent avec l'objectif d'obtenir le numéro de la meilleure amie d'Alice, Camille. S'il existe une personne susceptible de l'aider à reconstituer la nuit de la mort de sa sœur, c'est bien elle. Toutefois, Alizée ne s'attend pas à un miracle, elle n'est ni naïve ni idiote, ce qu'elle veut d'elle, c'est la faire parler le plus possible afin de récolter un maximum de détails qui, mis bout à bout, constituera une première piste à suivre.

— Euh, salut, c'est Alizée.

Silence à l'autre bout de la ligne.

— Alizée, la petite sœur de Alice, ajoute-t-elle dans la hâte.

— Oui.

La gêne palpable de son interlocutrice n'augure rien de bon.

— J'aurais quelques questions à te poser… Je ne te dérange pas, j'espère, ou tu veux que je te rappelle à un autre moment ?

— Non, non, fait-elle après un second blanc qui en dit long.

— Pourrais-tu me dire quand Alice a commencé à boire ?

— Quoi ?

— Tu as très bien entendu.

— Tu parles de quelle soirée ?

— À ton avis ? rétorque Alizée qui n'a pu empêcher son impatience de s'exprimer librement.

— Oh… Sûrement quand elle est arrivée à la maison comme tout le monde, donc je dirais… vers vingt heures.

— Elle a bu beaucoup ?

— Non, quelques verres.

— Quelle quantité exactement ?

— Qu'est-ce que j'en sais, moi… Je n'ai pas compté ! Trois ou quatre peut-être… Enfin… Je n'en suis pas sûre à cent pour cent… Il y avait beaucoup de monde à cette fête, je ne peux t'en dire plus. J'aimerais bien savoir pourquoi tu me poses toutes ces questions ?

La voix de Camille se veut de plus en plus nerveuse à mesure que le questionnaire préparé à l'avance d'Alizée tend vers l'interrogatoire.

— Pourquoi personne ne l'a retenue au moment du départ ? Vous étiez tous tellement bourrés que vous n'étiez même pas foutus de faire preuve de bon sens ?

— Je n'apprécie pas tes sous-entendus, Alizée. On a essayé, je te le jure, mais elle n'a rien voulu entendre et elle semblait avoir les idées claires quand elle est partie... Elle marchait droit... Elle avait un bon équilibre.

— Vous auriez dû tenter avec plus de conviction ! Vous faites des amis pitoyables !

— Écoute, Alizée, tu n'y étais pas. Alors, de quel droit tu viens nous juger !

— De quel droit ? Ma sœur est morte à cause de votre putain d'égoïsme. Vous l'avez négligée, j'ai tout à fait le droit de rager ! Allô ? Allô !

Le signal sonore entrecoupé lui spécifie le manque de courage de la garce. Elle a raccroché. Encore une qui ne perd rien pour attendre.

— Mange tes céréales, mon p'tit mistral, tu dois prendre des forces pour ton premier jour, l'encourage son père, sa tasse de café à ras bord à la bouche.

En marque de refus, Alizée scrute le contenu de son bol matinal, un rictus de dégoût aux lèvres.

— Pardonne-moi, je suis incapable d'avaler quoique ce soit ce matin. Je suis vraiment trop barbouillée, s'excuse-t-elle tandis qu'elle pousse sa chaise pour se lever.

Comment pourrait-elle songer à se nourrir alors qu'elle lutte déjà pour dormir ? Et il faudrait en plus qu'elle se ramène au collège avec le ventre plein pour le jour de la rentrée, jour qu'elle déteste par-dessus tout ? Il ne manquerait plus qu'on lui demande de sourire pour l'achever. Une contrariété de plus et elle balance son satané bol à tête de panda droit dans le mur d'en face. Si ses parents avaient un tant soit peu de cœur, ils la laisseraient rester au chaud à la maison, ils ne l'obligeraient pas à subir la torture de ce premier jour scolaire inutile, de l'appel, des nouveaux enseignants, des anciens élèves ou fraîchement arrivés, du nouvel emploi du temps souvent mal fichu, des retrouvailles avec des « camarades » dont elle se passerait bien. L'espoir fait vivre, paraît-il. Sans doute, croient-ils, au contraire, lui faciliter la tâche en la forçant à reprendre le cours d'une vie normale, que de se mêler à son ancien environnement familier lui sera bénéfique et l'empêchera de sombrer ou de trop penser à sa sœur, mais Alizée ne rêve que de son lit où sa couette réconfortante encore tiède l'attend toujours, non de ses bouquins de troisième à profusion, démolisseurs de lombaires en chefs.

Dix-sept heures, l'heure de la délivrance, une semi-délivrance factuelle, car qui dit rentrée dit reprise des activités extrascolaires et cette année, en plus de ses deux cours hebdomadaires de danse classique, la mère d'Alizée a pris l'aimable initiative de l'inscrire à un cours d'arts appliqués donné par l'école municipale d'art, lequel a lieu, qui plus est, un soir de semaine. À en croire sa mère, les neurones de sa fille sont exclusivement voués à s'épuiser à son éducation qu'elle soit scolaire ou artistique. Morale de cette histoire : elle va devoir la jouer fine si elle souhaite se dégager un temps libre minimal.

Pour son premier cours, Julia, sentant la motivation de sa fille s'envoler en stratosphère, a proposé de l'y conduire. Hélas, le sort d'humeur vacharde, cette même mère à la volonté soi-disant sans faille arrivera avec dix minutes de retard. Raison invoquée : une ligne de spots surplombant une photographie surdimensionnée s'est effondrée du plafond. Vrai ou pas, cet incident provoque un agacement vivace chez l'adolescente en perpétuel stress puisqu'en plus de l'angoisse habituelle engendrée par la rentrée, il faut ajouter à ce nœud de nerfs la peur du manque de ponctualité où qu'elle aille, que ce soit à l'occasion de rendez-vous extérieurs ou simplement pour des cours au collège.

Une fois déposée devant l'enceinte du bâtiment récemment repeint, Alizée se précipite à toutes jambes à l'intérieur. Par chance, elle trouve un petit bonhomme jovial à moustache à l'accueil enclin à lui indiquer le chemin à suivre pour rejoindre sa salle de classe.

Lorsqu'elle y parvient enfin le cœur battant, elle découvre avec surprise la porte encore grande ouverte. Comme elle s'y est préparée, elle se retrouve bonne dernière, même si, étonnamment, ils n'en sont encore qu'à déballer leurs affaires d'artistes en herbe.

— Entre et prends place, l'invite d'une voix douce une jeune femme gracile et gracieuse vêtue d'une grande robe ethnique fluide debout devant une flopée d'élèves agités, tu n'as qu'à te mettre à côté de Salomé. Il n'y a personne à côté de toi, n'est-ce pas ?

Près du mur du fond, la Salomé en question, une sublime fille blonde avec de longs dreadlocks, répond à la professeure par la négative avant d'adresser un immense sourire à sa future voisine de chevalet.

— Excuse, je suis bordélique à mort. Attends que je débarrasse, fait-elle en enlevant sa panoplie du parfait petit peintre de la chaise préposée d'Alizée quand celle-ci atteint sa hauteur.

— Pas de souci, prends ton temps.

— Bonsoir, mes grands, maintenant que nous sommes au complet, nous pouvons commencer ! Tout d'abord, dites-moi, avez-vous passé de bonnes vacances ?

— Ouiii ! répondent les élèves dans un brouhaha.

— Parfait ! Rien de tel que le soleil d'été pour ressourcer un corps fatigué, n'est-ce pas ? Je me présente, je me nomme Rebecca Milo, je serai, comme vous l'avez tous compris, votre nouvelle professeure d'art plastique et de sculpture. Je remplace monsieur Igor qui a malheureusement pris sa retraite fin juin dernier, j'espère que vous vous habituerez très vite à ce changement ! Je ferai tout pour rester à son niveau, sachez-le.

— « Malheureusement », la blague ! Je sais pas pour les autres, mais j'aurais aucun mal à m'y faire, chuchote Salomé à l'intention d'Alizée pendant que mademoiselle Milo continue en arrière-plan à s'excuser inutilement d'avoir obtenu le poste d'un homme qui a manifestement fait son temps, je l'ai eu durant deux ans, c'était un sale type, un pédagogue nullard, super critique et cassant. C'était jamais assez bien pour *monsieur*.

— On gagne au change alors ? résume Alizée.

— Et pas qu'un peu, tu peux me croire !

Elles se mettent toutes deux à rire de bon cœur insouciantes au bruit engendré par leurs éclats de voix.

— Et bien, je vois que des affinités sont déjà en train de naître sous nos yeux, mes enfants. Mon intuition ne me trompe pas, j'ai bien fait de vous mettre à côté l'une de l'autre, intervient Rebecca Milo sans ironie aucune à la surprise mutuelle des deux nouvelles complices.

— Au fait, c'est quoi ton petit nom ? continue Salomé, en prenant toutefois garde à chuchoter cette fois-ci.

— Euh… Alizée.

— Alizée… Tu es sûre de toi ? Tu n'as pas l'air très convaincue, plaisante-t-elle devant l'étrange hésitation de son interlocutrice. Sérieusement, je trouve ton prénom super mignon et original. Parce que, à part la chanteuse, je n'ai jamais rencontré de nana qui le portait avant aujourd'hui.

— Merci beaucoup, répond Alizée dont la référence musicale irrite.

De la chanteuse corse ? Elle en bouffe depuis qu'elle est gamine. Déjà en primaire, ses petits camarades s'en sont donné à cœur joie avec son prénom. Quand certains se sont amusés à lui donner du *Lolita* à toutes les sauces, d'autres se sont plu à fredonner ses plus célèbres tubes dès lors qu'il la croisait sur leur route. Heureusement, la tendance tend à s'améliorer depuis qu'elle a franchi la barrière du collège.

— C'est la première fois que je te vois dans le coin, tu es nouvelle ?

— Non, pas vraiment, je suis arrivée il y a deux ans et demi, j'habitais en Bretagne avant.

L'œil de Salomé frise instantanément.

— Pas mal ! C'est marrant, je passe tous mes étés là-bas avec mes parents, il y a des endroits plutôt sympas. C'est moins bondé que la Côte d'Azur, on peut respirer au moins ! Ça ne te manque pas ?

— Non, c'est mieux comme ça… Il fallait partir, répond Alizée, évasive, tu as l'air de connaître le coin, où alliez-vous ?

— Perros-Guirec, une petite ville sur le littoral des Côtes-d'Armor, mes parents y louent chaque été une baraque. Tu situes ?

— Je connais très bien, c'est vraiment beau, par contre, c'est un coin bourré de friqués, on y rencontre de sacrés bourges imbuvables !

— Grave, c'est un spot de bobos sur le déclin, fait Salomé en mimant avec perfection les attitudes prétentieuses de l'un d'entre eux.

L'imitation exubérante suffit à chatouiller de nouveau leurs cordes vocales avec tout aussi peu de discrétion que la première fois.

— Un ton plus bas, les filles, s'il vous plaît, les réprimandent sans grande autorité mademoiselle Milo, alors que la boîte d'ustensiles pleine à craquer de Salomé vient tout juste de lui échapper des mains, se vidant de son contenu sur le sol avec fracas sous le regard impuissant de sa propriétaire.

— Merde, j'ai deux mains gauches, moi, peste contre elle-même la maladroite tandis que Alizée se précipite pour lui apporter son aide, ça te dirait de venir boire un verre avec moi après ce cours ? Je connais un bar super fun tout près d'ici.

Étonnée par cette proposition précoce, Alizée bafouille.

— Je ne sais pas quoi te répondre, c'était prévu que je rentre tout de suite après.

— Tu ne peux pas téléphoner à tes parents pour les prévenir ? Ils ne vont quand même pas te flinguer si tu reviens à la maison avec une heure de retard, si ? la questionne Salomé tout en arquant des sourcils, c'est le premier jour de l'année, on s'en fiche, on n'a pas encore de devoir, il faut en profiter ! Connaissant ces tortionnaires, ce ne sera pas éternel !

— Mes parents sont du genre à baliser pour un rien et encore plus depuis cet été, fait Alizée pendant qu'elle se rassoit sur sa chaise et ajuste le chevalet qui lui fait front.

— T'exagères pas un peu ? Moi, je fais ma vie de mon côté, mes vieux s'en foutent pas mal !

— Non, les miens sont comme ça, je ne te mens pas... Je les appellerai en sortant et on verra ce que ça donne, cède Alizée afin d'éviter la sempiternelle explication du comportement protecteur récent de ses parents.

Coliville, cité à taille humaine de 20 000 âmes et des brouettes, nichée au pied des alpes entre, d'une part, la dureté des montagnes et la pureté des lacs, de l'autre. Comparé à celui de la Bretagne, le changement d'environnement a été radical, en particulier, au niveau du climat. Maintenant, la neige fait partie intégrante des cadeaux de Noël, événement rarissime depuis de nombreuses années dans la pointe ouest. La jeune fille a tout de suite aimé cette vie tranquille, certes, un chouïa coupée du monde, mais tellement reposante. L'unique piqûre de bain de foule annuelle qu'elle s'octroie émerge en période hivernale où la population double à cause du flux constant de vacanciers heureux de pouvoir profiter des beautés dont regorge leur petit havre de paix. Dans cette agglomération, les riverains disposent des services qu'une ville de plus grande ampleur a à offrir, comme une bibliothèque, un cinéma, un immense centre commercial, un terrain de sport, des restaurants, des associations, des écoles privées ou publiques où plusieurs pratiques artistiques ou sportives sont enseignées : danse, dessin ou encore théâtre et autres clubs (foot, basket, sport de glisse, accrobranche…). L'enseignement supérieur n'est pas en reste avec un IUT dans la proche banlieue ainsi qu'une faculté sans prétention aux abords de la ville constituant une aubaine pour les habitants des villes avoisinantes. En définitive, tout ce dont un individu lambda moderne a besoin, Coliville le lui propose. Là où leurs semblables métropolitains les plaindraient, les colivillais, eux, se jugent chanceux dans leur bonheur simple dépourvu de la futilité et de l'individualisme maladif propres aux grandes agglomérations. La ville parfaite où rien de notable se passe jusqu'à ce jour maudit où Alice a perdu la vie aux tournants de ses routes.

Rien ne manque ici, pas même des bars à l'ambiance atypique comme le *Cosy saloon* au comptoir duquel un tenancier, la cinquantaine bien tassée, une balafre barrant son arcade sourcilière droite, sert des mousses parmi une liste de boissons désaltérantes fournie.

— Hé Michmich', deux demi, s'te plaît. Tu nous les apportes à notre table habituelle, tu seras un amour !

— Ça va sans dire, allez vous installer mes mignonnes, j'amène votre commande !

— Ce sera un demi-pêche pour moi, monsieur.

— Et un demi-pêche pour la jolie demoiselle aux yeux verts, répète le patron, zappe-moi ce « monsieur » et appelle-moi Mich' comme tout le monde ! s'égosille-t-il d'une voix éraillée de vieux loup de mer un rien caricatural.

Alizée opine du chef, un peu gênée avant de rattraper Salomé, déjà assise autour d'une table ronde collée côté fenêtre à l'écart des piliers de bar alcoolisés.

— Non, mais regarde cette mère là-bas qui essuie le visage de son fils avec sa propre salive ! Elle te dégoûte pas ? C'est d'un répugnant, sérieux, c'est juste ignoble ! Perso, ça me donne la nausée, s'indigne Salomé en désignant au travers de la vitre une femme accroupie devant un petit garçon sur le trottoir d'en face pendant que Alizée se hisse sur un des tabourets.

— C'est pas très hygiénique, je te l'accorde.

— Il est dix-neuf heures passées, on pourrait espérer être débarrassé de la vision de gosses ! Tu trouves que j'ai tort ?

— Tu ne veux pas d'enfant, toi ? demande Alizée, interloquée.

— Pour quoi faire ?

La question aurait de quoi faire sourire, pourtant Alizée reste silencieuse, incapable d'apporter une réponse immédiate et satisfaisante à cette interrogation.

— À mon sens, c'est naturel d'en faire et d'en vouloir quand on atteint la trentaine, tente finalement cette dernière.

Salomé la dévisage d'un air qui crie « pitié ».

— C'est du moutonisme pur et simple, ça, il n'y a pas d'autres mots... On n'est pas tous obligés d'y passer juste parce que la majorité de la population de cette planète est constituée d'abrutis ignares. Le réchauffement climatique est en grande partie imputable à l'activité humaine et le phénomène de surpopulation mondiale ne fait qu'accentuer cette catastrophe. Notre Terre est en train de crever et tous ces cons n'en ont rien à branler ! Qu'ils continuent à baiser, ils auraient tort de s'en priver, mais tout ce que je leur demande, c'est de foutre des capotes, bordel, c'est si compliqué ? Tiens, même la Chine a aboli leur politique d'enfant unique ! Ça te paraît logique, toi ? Sois honnête !

— Pas vraiment, non...

— T'as raison, miss, n'en fais pas ! La famille, c'est surfait de nos jours, intervient le fameux Mich' qui a surpris leur conversation en venant déposer les bières préalablement commandées.

— Merci, Michmich' ! Pour les bières et pour ton esprit éclairé ! Ah oui, je te remercie aussi d'ignorer notre âge, se marre Salomé, un pouce en l'air et la langue sur le côté de sortie.

Durant les minutes suivantes, Alizée en apprend davantage sur Salomé, notamment son combat en faveur du féminisme, une cause enrichie de ses lectures à la bibliothèque municipale des œuvres phares signées Simone de Beauvoir, George Sand ou encore Simone Veil et d'autres noms dont Alizée n'a jamais entendu parler avant ce jour, à croire que l'intégralité du rayon de la médiathèque, consacré à ce sujet, a été écumée par ses soins. Poursuivant sur le registre des confidences, elle l'informe également de son orientation sexuelle, en l'occurrence, homosexuelle, en précisant, le plus naturellement du monde, avoir multiplié les aventures avec le sexe opposé, « Et c'est pas faute d'avoir essayé » a-t-elle appuyé, une moue de dégoût aux lèvres, mais s'étant trouvée confrontée à une incompatibilité des plus manifestes avec le sexe dit « fort », elle a jeté l'éponge. La question de l'homosexualité n'a jamais dérangé Alizée, car elle a conscience comme tout individu doté d'un cerveau en bon état de marche que les homosexuels ne choisissent pas d'aimer un être humain du même sexe, à l'instar des hétéros qui ne se décident pas hétérosexuels à l'âge des couches-culottes. Les choses sont ainsi faites comme écrites à l'avance. Quoiqu'il en soit, la décontraction et le naturel dont Salomé fait preuve pour évoquer sa sexualité décontenance Alizée. À aucun moment, elle n'a semblé craindre un quelconque jugement négatif de sa part, par contre, elle aurait certainement quitté la pièce sans demander son reste si Alizée avait mal réagi, la laissant idiote et seule avec pour unique compagnie son étroitesse d'esprit. Ceci fait, l'effrontée enchaîne sur ses goûts et ses hobbies comme son attrait prononcé pour la généalogie, le spiritisme, l'ésotérisme et tout ce qui touche aux esprits, aux vies antérieures et à la magie. Enfin, elle finit par mentionner son vif intérêt à la défense des animaux, bataille pour laquelle elle est allée jusqu'à devenir végétalienne avec l'objectif ultime de virer vegan lors de sa majorité pour une question de cohérence entre ses convictions et son discours. Elle lui explique qu'à l'occasion de son reniement officiel au culte de la barbaque, elle s'est alors heurtée au refus catégorique de ses « inconscients et égoïstes » parents qui n'ont pas semblé porter autant d'importance, contrairement à leur fille, aux multiples souffrances infligées par l'Homme à l'encontre de ces innocents êtres vivants aux quatre coins de la planète.

— Vise-moi ces gueules, objecte-t-elle, continuant son inspection intraitable des passants au dehors du bar, ils font peine à voir, tout crispés autant qu'ils sont, agrippés à leurs pauvres attachés-cases comme si leur vie entière en dépendait ! Dis-moi, quel intérêt ils ont à gagner du fric si c'est pour le dépenser dans un prêt immobilier qui les étranglera durant vingt ans au minimum ? Parce qu'après avoir nourri leur flopée de gosses braillards puis être parti en vacances en famille dans un club rempli de gens, épuisés par leurs boulots merdiques, qui croient que deux semaines suffiront à leur rendre leur insouciance ou à rendre leur vie moins badante, ils leur restent quoi, hein ? Des miettes ! J'ai pas raison ? Y a pas idée de se coltiner un troupeau de zombies pareils ! Mon conseil : fous-toi de tout, fous-toi

48

des conventions, elles ne servent à rien à part te conditionner. Elles ne doivent leur existence qu'à leur faculté à emprisonner l'esprit, à te foutre des idées préconçues dans la cervelle en prétendant que toi seule les as choisies alors que pas du tout ! On nous endoctrine depuis notre enfance !

— Il ne faudrait peut-être pas verser dans la parano non plus.

Les orbites écarquillées à outrance de Salomé servent à eux seuls à mesurer l'ampleur de l'affront d'Alizée.

— Parano, moi ? Non, je suis lucide ! La société est un guet-apens, un labyrinthe sans issue ! Suis mon conseil, agis avant qu'il ne soit trop tard, fais ce qu'il te plaît sans te soucier de ce que les autres pensent de toi ! Sors du troupeau et fabrique tes propres normes ! Rien à foutre ! Je te montrerai comment faire, tu verras, c'est moins compliqué qu'il n'y paraît.

Par un violent claquement de cul de verre à bière contre la table, le monologue s'achève. Alizée sourit en comprenant que cette simple fin d'après-midi scellerait leur amitié naissante.

Malgré le sprint haletant sur les cinq cents mètres entre l'arrêt de bus et le domicile familial, Alizée franchit le seuil de celui-ci à vingt heures trente tapantes. Un retard notable, mais néanmoins loin d'être catastrophique. Une fois délaissée de son sac de cours et de sa pochette de dessin, elle pénètre dans le salon où elle trouve son père confortablement installé devant une émission vaseuse d'enquêtes criminelles du câble.

— Maman n'est pas là ? demande Alizée.

Son père n'a pas pour habitude de faire des scandales, sa mère, si.

— Négatif, elle est à son cours de yoga dynamique ou quelque chose dans ce goût-là. C'est une nouveauté de cette année, elle vient de s'y inscrire, soupire son père en zappant dans un flux continu pour le moins insatisfait des programmes proposés par la petite lucarne, il n'y a vraiment que des conneries, ma parole. Pour les crimes et les émissions de divertissement débiles, là, le choix ne manque pas, en revanche, pour ce qui est de la participation au soutien de nos neurones, on peut repasser. Entre ça et Sarko à toutes les sauces, on est servi...

Du yoga ? Stressée comme elle, elle fait bien de s'y mettre.

— T'en as encore pour plus de trois ans à tenir, tu sais, il va falloir te faire à l'idée !

— Ne m'effraie pas, je te prie. Mais j'y pense, comment s'est déroulé cette fameuse rentrée des classes ?

— Ma rentrée ? Toujours le même foin habituel rasoir, rien de neuf. À côté de ça, mon cours d'art était super. La prof est parfaite, super gentille et tout. Tu n'as pas écouté le message que je vous ai laissé sur le répondeur du fixe ?

— Quand ça ? s'étonne-t-il en se redressant sur le dossier de son fauteuil en cuir noir.

— Il y a une heure à peu près, je crois.

— Non, je n'ai pas fait attention... Quel en était le contenu ?

— Eh bien, que je me suis fait une amie durant le cours et qu'elle m'invitait à prendre un verre dans un café et que du coup, j'allais avoir du retard...

Son père réalise enfin et jette un œil à sa montre.

— Quel père je fais, je n'ai pas remarqué l'heure qu'il était, je croyais que tu descendais de ta chambre, fait-il désespéré en se frottant les sourcils d'un geste préoccupé, tu viens juste de rentrer alors ?

— Oui, excuse-moi.

— Ce n'est rien, c'est à moi de m'excuser, je ne sais pas où j'ai la tête, assure-t-il tandis qu'il se lève en chancelant étrangement, je suis au contraire ravi que tu te sois liée d'amitié avec quelqu'un. Par contre, ma puce, si cela ne te dérange pas, c'est plateau télé ce soir. Ta mère a laissé un mot dans la cuisine pour nous informer de son absence au dîner de ce soir. Elle n'a laissé aucun repas à réchauffer dans le frigo, par conséquent, j'ai pensé à commander une pizza. Ta mère est absente, qu'on en profite. Qu'en penses-tu ?

— C'est cool.

Alizée profite du moment où son père se rend dans la cuisine attraper le téléphone pour aller s'échouer sur le canapé tel un phoque au soleil. Ses jambes ne la tiennent plus, cette journée marathon l'a tout bonnement éreintée, cela n'a pas arrêté. Par chance, un petit lot de consolation se profile à l'horizon, il n'y a plus que deux jours à tirer avant le prochain week-end ! Cette unique pensée lui redonne le sourire.

La démarche approximative de son père ne tarde pas à trouver son explication en la présence de ce verre de whisky à moitié vide posé négligemment (sans sous-verre, sa mère va criser) sur l'élégante table basse en verre allié au fer forgé.

— Laquelle tu veux ? s'écrie-t-il de la cuisine.

— Une calzone, s'teupl' !

Jamais elle n'aurait imaginé que cette calzone ait autant de mal à passer, chaque bouchée est ressentie comme une agression pour son corps. À peine a-t-elle terminé son assiette qu'une violente crise de hoquet vient tourmenter son œsophage. Rien ce midi et ce soir, une pizza ? Son estomac a été trop sollicité, le pauvre n'a plus l'habitude d'ingérer autant de nourriture d'un coup. Et puis, bonjour, les calories ! Elle ne condamne cependant pas son père, cuisiner l'ennuie terriblement, elle le sait. Dernier recours envisageable : les toilettes ! Il ne lui reste bien que cette solution, aussi extrême soit-elle.

Prétextant un sac de cours à préparer pour le lendemain, Alizée sort du salon en trombe spatiale, monte à l'étage en courant avant de s'enfermer dans la salle d'eau annexée à sa chambre pour s'y faire vomir. C'est la première fois de sa vie qu'elle le pratique, pourtant elle n'éprouve aucune difficulté à exécuter cet acte infect. L'index collé au majeur enfoncé dans la gorge, les remontées acides inévitables au cours de l'œsophage, les larmes qui roulent, les dents lavées. Ces gestes lui paraissent si simples, si fluides, presque naturels. Son méfait accompli, elle redescend l'air de rien, se rassoit à sa place initiale près de son père ronflant. Il ne se réveillera que bien plus tard lorsque sa femme refera surface à plus de vingt-trois heures, celle-ci ne daignera donner aucune explication restant de marbre devant la lassitude de son époux. Elle poussera la condescendance jusqu'à lever les yeux au ciel en remarquant les cartons de pizza sur le sol.

Impuissant, le père d'Alizée la regardera monter à l'étage se coucher sous couvert d'une journée qu'elle qualifiera de harassante. Une tisane en compagnie de son mari et de sa fille aurait été trop lui demander visiblement. À y réfléchir, était-elle véritablement à ce stupide cours de yoga et non ailleurs ? Qui rentre à vingt-trois heures d'un cours zen ? Personne ! Quelque chose cloche, elle cache un secret, Alizée en mettrait son scalp aux enchères.

De retour dans sa chambre, Alizée allume son ordinateur et tout en repensant à la discussion entretenue avec Salomé en début de soirée, tape les mots *animal + maltraitance* dans la barre de son moteur de recherche et tombe sur des sites plus immondes les uns que les autres dans lesquels les internautes dénoncent la quasi-schizophrénie des Chinois quant à leur pratique de sélection de chiens destinés à devenir leurs animaux de compagnie de ceux qui finiront bouffés après avoir été maltraités et parqués dans des cages ridiculement minuscules ou encore ce blog tenu par une militante qui montre les conditions d'élevage en France, la castration à vif des porcelets, le broyage des poussins mâles vivants, le sadisme de certains employés d'abattoir ou le tractage de malheureux animaux n'arrivant même plus à se lever et à marcher jusqu'au camion-corbillard, leur ultime demeure précédant leur mort. Une horreur. Alors qu'elle croit s'être fait une idée fidèle de la cruelle injustice dont sont victimes ces créatures martyrisées que l'on prétend tant aimer à travers le monde, Alizée reste tétanisée devant une vidéo dénonçant le commerce de la fourrure où un raton laveur apeuré se fait arracher la peau à vif à coups de décharges électriques. Qui peut prétendre rester insensible devant un acte aussi inhumain ? Qui ? Il lui faut un certain temps pour identifier les gouttes d'eau qu'elle voit se fracasser par paquet de trente sur le clavier blanc en tant que larmes. Les siennes. Ces larmes inondent ses joues blafardes, torrent salé venant exprimer une compassion naturelle envers ces animaux dont la sensibilité est à tour de rôle bafouée puis niée. Lassée de ces images d'épouvante, elle rabat l'écran de son ordinateur d'une main fébrile et décide de se coucher en dépit de cette lourde charge émotionnelle pendue à son cœur.

52

Les deux journées de cours restantes se révéleront interminables, exténuantes à se donner l'envie de s'arracher les neurones un par un avec la vaine espérance d'être soulagé de cette torture éducative. Pour ajouter à son malheur, son supplice prendra fin après celui de ses camarades, la faute imputée à sa mère, encore elle, qui a insisté pour qu'elle se rende à son cours de danse classique du soir. Sur le coup, Alizée en a eu les larmes aux yeux, voyant en sa mère l'incarnation d'une tortionnaire totalement insensible face à la détresse grandissante de sa propre fille. A contrario de son cours d'art, pas une à la danse n'ignore son contexte familial. Oui, pourquoi lui infliger cette épreuve trois semaines seulement après le drame alors qu'elle s'en sent à peine apte ? Après tout, les pointes, la barre et cette prof trop autoritaire seront toujours là la semaine prochaine et, par ailleurs, le niveau d'Alizée ne va pas brusquement chuter juste parce qu'elle aura manqué quelques malheureux cours. De ce fait, pour quelle raison devrait-elle s'y rendre ? Qu'à cela ne tienne, sa décision est prise, elle fera l'école buissonnière ! C'est la première fois de sa scolarité qu'elle va sécher un cours, ce jour est à marquer d'une pierre blanche, elle entre enfin dans ce qu'on peut appeler « l'ère d'agir et de penser par soi-même » évoquée par Salomé. Elle n'a aucune envie de danser, aucune envie d'être dévisagée comme elle le sera sûrement, elle se refuse de s'y forcer. Rien ni personne ici ne peut l'obliger à faire ce dont elle rejette et elle compte bien en profiter.

L'air hilare, elle prend son téléphone et cherche dans son répertoire le numéro de Salomé. L'appel se ponctuera d'un enthousiaste « non, mais attends, j'ai bien entendu ? Ma petite brise d'été d'habitude si disciplinée et sérieuse se rebelle ? Ne bouge pas, j'attrape ma veste ! ».

Vingt minutes après avoir assimilé la position géographique de sa ballerine de copine, la svelte baba cool arrive pimpante et guillerette. Animée d'une joie si débordante, celle-ci tombe dans les bras d'une Alizée troublée par cet élan d'affection inattendu.

— Ça te dirait d'aller écouter The Black Deal ? C'est un groupe de musique formé par des potes, propose Salomé une fois sa prise lâchée. L'un des membres m'a envoyé un texto cet aprèm' pour que je me bouge le cul à venir le mater ! Parce que tu ne sais pas la meilleure ? Monsieur ne parvient pas à répéter de manière optimale si personne ne le regarde ! Il a besoin d'admiratrices pour se donner à fond, tu vois le spécimen !

— Pourquoi pas ! Moi, du moment que ce n'est pas à proximité du studio de danse, ça me va. Oui, tu comprends, si je pouvais éviter de me faire choper, ça m'arrangerait.

— Aucun risque, ils répètent en dehors de la ville près du lac de l'ange. On va prendre le bus, c'est le plus simple.

Une maison en construction abandonnée avant terme ? Un squat ? Un blockhaus ? Les mots manquent à Alizée pour définir le soi-disant lieu de répétition, il ne ressemble à rien de commun en la matière.

À peine ont-elles franchi le seuil de l'amas bétonné qu'elles distinguent au fond de la pièce éclairée à l'économie quatre silhouettes sur l'estrade de fortune occupées au réglage de la balance sonore de leurs instruments respectifs. Leur arrivée ne déclenche aucune réaction de leur part. Pas un ne relève la tête, ce qui a le don d'agacer Salomé.

— L'intérieur est plus cool que la façade, je dois dire. C'est vraiment pas mal, il en deviendrait presque classe, s'extasie Alizée.

— On a fait du bon boulot, hein ? On a récupéré une moitié des meubles aux puces du coin, la deuxième à Emmaüs. Pour la déco et la peinture, chacun a retroussé ses manches, c'était drôle à voir, mais ça claque vraiment plus la nuit, on voit moins les défauts. On a encore du travail de dissimulation de fissures et de petits ratages d'amateurs. Je te déconseille, par exemple, de regarder de trop près l'état des rideaux de ces fenêtres, là, derrière. On va dire qu'ils ont du vécu alors si tu tombes sur des remplaçants un jour, pense à nous, s'esclaffe-t-elle en désignant les bouts de tissu marronnasse qui pendouillent à la fenêtre sous laquelle repose un vieux canapé défraîchi. Viens, on va se poser tranquille sur le tas de coussins, là-bas.

— Mais non, restez devant plutôt, ça fait plus « public » !
intervient d'une voix forte le guitariste, le garçon le plus attirant des
quatre. D'où vous êtes, que vous soyez présentes ou absentes, ça ne
fait aucune différence, putain ! Alors, venez devant dans la fosse et
qu'ça saute ! Et en plus, tu avais oublié de préciser que tu nous
ramenais une nouvelle pote. Mignonne en plus...

— Mignonne, répète Alizée soudain habitée par une chaleur
indescriptible.

— Remarque, je ne t'avais même pas répondu si je venais, nullosse,
rouspète Salomé tout en levant les yeux au ciel d'un air gentiment
moqueur.

Alizée n'écoute que d'une oreille, elle est trop hypnotisée par ce
guitariste brun à la silhouette athlétique, charismatique à la voix
éraillée. Elle aimerait tout savoir de lui, connaître ses centres d'intérêt,
sa vie de A à Z, du nombre de ses frères et sœurs à son plus beau
souvenir d'enfance ou encore son fruit préféré, le nom du groupe de
musique qui le fait le plus vibrer ou le titre du livre dont il peut relire
cent fois les lignes sans jamais éprouver de lassitude. Absolument tout
et n'importe quoi.

— Il te plaît, n'est-ce pas ?

Alizée, tirée de ses rêveries, sursaute de surprise. Elle qui se croyait
discrète en reste baba.

Ne trouvant pas d'écho à sa question, Salomé reprend la trame de
son interrogatoire.

— Le Charlie, quoi ! Celui qui porte un tee-shirt avec un dragon à
la gueule ouverte sur le dos ! Le beau guitariste au magnétisme
renversant ! Tu le dévores des yeux, arrête ! Tomber sous le charme
du guitariste, c'est d'un cliché. Moi qui te croyais originale, tu m'en
vois déçue ! Avoue ou je te soumets au supplice !

— Oui, bon... Peut-être un peu, reconnaît l'inculpée du bout des
lèvres.

— Un peu ? Laisse-moi rire, essuie ta bave, elle coule sur le
plancher, glousse Salomé en minaudant. Par contre, je te préviens,
c'est un mec à filles. Charlie, c'est le genre à changer de nana deux

fois par mois. Bien salaud, irrécupérable au possible. Niveau irrespect, il crève le plafond ! Je n'exaspère pas, un jour, j'ai vu une nana dans un bar lui renverser son verre littéralement sur la tronche ! Et pas besoin de se triturer les méninges pour deviner la raison de son emportement… Entendons-nous bien, en tant que pote, je l'adore et grave, mais c'est clair que, d'un point de vue strictement objectif, je ne me serais jamais risquée à sortir avec lui au temps où je me croyais hétéro. Enfin bref, ce que je veux t'expliquer, c'est qu'il faut être un brin maso pour sortir avec ce prototype de keum et je n'ai pas ce défaut. Je te trouve vraiment cool et je ne voudrais pas que tu souffres à cause d'un type totalement immature. C'est un handicapé des sentiments comme beaucoup de mâles. Il n'y en a pas un pour rattraper l'autre, ajoute-t-elle d'un air entendu, on sait bien que, comparés à l'âge mental des go, il faut au moins leur enlever cinq ans. Ouais… Quatre, facile !

Cette allocution laisse Alizée pour le moins perplexe. Après tout, Salomé ne le connaît peut-être pas aussi bien qu'elle le prétend. Rares sont ceux qui peuvent se targuer de cerner à la perfection la personnalité d'un ami, car, malheureusement, il est fréquent d'être étonné par l'un d'eux que ce soit en positif ou en négatif, d'ailleurs. Ajouté à cela qu'il réside une différence non négligeable entre une relation amicale et amoureuse, les perspectives s'en trouvent modifiées sur nombre de points comme les gestes, l'attitude ou le langage.

— D'accord, si ça peut te rassurer, j'essaierai de garder mon sang froid, s'entend promettre Alizée.

— J'aimerais te croire, rétorque Salomé, une moue dubitative aux lèvres, parce que je n'ai aucune envie de te ramasser à la petite cuillère comme tant d'autres avant toi.

— Qu'est-ce que tu racontes ? Je ne suis pas une petite nature ! Tu me prends pour une de ces grognasses totalement niaises prêtes à croire n'importe quel beau parleur ? J'ai un cerveau et je sais m'en servir, s'énerve Alizée, agacée par le sous-entendu de son amie.

— Oh, ma pauvre Lucette, si tu avais déjà aimé, crois-moi, tu saurais que l'intelligence ne rentre plus en ligne de compte à ce stade… On est tous égaux devant l'amour, on devient tous irrationnels, voire complètement cons, pour certains ! Essaie de raisonner quelqu'un frappé par l'amour, tu saisiras la difficulté qu'il y a à tenter de convaincre une boule de nerfs à vif bornée. C'est une lutte perdue d'avance.

— Admettons, mais moi, je ne fais pas partie de ces filles, je ne me fais pas facilement embobiner, affirme-t-elle l'œil empreint de défi avant de se diriger vers la scène sommaire, coupant court à la conversation.

Les premières notes de basse d'un blond aux cheveux bouclés sonnent le départ officiel de la répétition. Charlie rit en effleurant du regard l'étendue faiblarde de leur public éphémère formé par ce couple de silhouettes féminines.

— Mes très chères demoiselles, laissez-nous tout d'abord vous enchanter avec une reprise vibrante de *God save the Queen* de nos regrettés comparses grands-bretons, les Sex Pistols, déclame Charlie, parfait dans son costume de monsieur Loyal sous les applaudissements fournis desdites demoiselles.

Dans l'esprit d'Alizée, le standard britannique se rattache en majorité à *Groland*, l'émission télévisuelle explosive de Canal+ connue pour son humour corrosif et politiquement incorrect et non aux *Pistols* qu'elle ne connaît, pour ainsi dire, que de nom. Les standards punks anglais (*Clash, Iggy pop…*) et français (*Les Wampas, Bérurier noir…*) se succèdent entrecoupés de préambules inspirés, de danses sautillantes approximatives et d'œillades indiscrètes jusqu'à ce que Salomé revienne vers Alizée, les commissures étirées en un doux sourire en signe de paix. La jeune rousse le lui renvoie bien volontiers, heureuse d'effacer l'incident émotionnel passé. Et c'est ainsi qu'elles se mettent à se dandiner ensemble au rythme des notes, enterrant leur mini querelle. Tout est maintenant pour le mieux.

Soudain, Alizée, affolée, se souvient :

— Merde, excuse-moi, Salomé, mais quelle heure est-il ? J'ai pas fait gaffe !

— Attends voir... Bientôt vingt heures, miss, pourquoi ? Le couvre-feu point le bout de son nez, c'est ça ? lui répond-elle après avoir extirpé son portable de la poche de son sarouel.

Rapidement, Alizée gamberge tant qu'elle peut, son ventre affamé par les privations la tiraille et l'empêche de réfléchir autant que la présence de Charlie. Elle finit par estimer son heure d'arrivée au domicile familial aux alentours de vingt heures trente à grandes foulées. Il n'y a donc pas vraiment de quoi paniquer, une chance, ses parents travaillent dur depuis ces dernières semaines, elles ont donc largement le temps de profiter encore un peu de la musique ainsi que du talent de ces quatre musiciens passionnés par leur art anarchique.

— Je te ramène en scoot' si tu veux ? Ce sera moins gonflant que le bus, propose Salomé après plusieurs autres morceaux endiablés, je l'ai laissé derrière entre une paire d'arbres après une fête trop arrosée. J'étais pas très fraîche, croit-elle bon d'ajouter, so don't panic my dear, tu seras à l'heure chez tes vieux, je t'en fais la promesse solennelle !

Définitivement rassurée, Alizée la remercie d'un baiser sur la joue, ce qui a pour effet d'affoler les ardeurs des mâles perchés qui sifflent bruyamment leur approbation.

— Hey, on se calme les mecs ! Remballez vos esprits de pervers et mettez votre testostérone en sourdine, vous voulez bien, leur conseille Salomé, toutefois amusée. Allez, go ! Va chercher tes affaires et on s'arrache ! Les mecs ont pratiquement fini de toute façon, ajoute-t-elle à l'intention d'Alizée qui ne cesse de fixer Charlie en oubliant de faire preuve de discrétion.

Il l'hypnotise tant que cogiter lui devient incroyablement pénible.

— Hmmmm okay... Okay... Je te suis...

— Roh, tu m'énerves !

Salomé la traîne sans ménagement à destination de leurs affaires respectives, lui fourgue ses sacs de cours et de danse dans les bras et salue le groupe de loin avant de se précipiter au dehors accompagnée d'une Alizée déconnectée de sa sinistre réalité quotidienne. Bientôt, elle sera chez elle, bientôt, elle regagnera sa solitude d'enfant devenue unique, elle qui s'imagine dans une dimension parallèle pressée de raconter sa folle après-midi à sa sœur, lui dire combien elle se sent coupable de se sentir à demi-vivante alors qu'elle, Alice, dix-neuf ans, ne l'est plus.

Bilan de l'après-midi : pourri, pourri et un millier de fois supplémentaires archipourri. Les cours l'emmerdent éperdument, les profs aussi, chiants comme pas permis, ils la soûlent, répétitifs, dépourvus de psychologie, croyant qu'en gueulant un octave plus haut que leurs propres élèves, ceux-là seront plus enclins à les écouter pareils à de dociles enfants de chœur. Un, en particulier, se démarque davantage du lot. Le sujet en question lui a servi un laïus interminable sur l'irrespect des jeunes vis-à-vis de leurs aînés sous motif d'un malheureux chewing-gum mâchouillé en classe. Il faudrait l'envoyer faire un petit tour en Zone d'Éducation Prioritaire et pour le coup, là, il comprendrait sa douleur. Il saisirait la différence entre des élèves banalement récalcitrants à l'apprentissage de l'algèbre et ceux qui refusent à coups d'insultes qu'on leur expose les horreurs de l'extermination massive de la Seconde Guerre mondiale. Face à cette situation, il se retrouverait contraint de changer d'opinion.

Six semaines ont passé depuis l'enterrement d'Alice dont vingt-sept jours au collège. Des cours qu'elle a suivis d'une oreille malentendante et parcourus d'un œil borgne. Trois semaines où elle n'a fait que réfléchir au sens existentiel de la vie ou, plus exactement, au non-sens de cette dernière. Quarante-deux nuits infinies où elle n'a cessé de revivre les événements récents sous forme d'horribles cauchemars infestant ses nuits et ses jours. Dans ces ténèbres opaques, seule la perspective de revoir Salomé ou de recroiser Charlie l'a réconfortée. La mort de sa sœur a fait imploser son être en son cœur, c'est comme si son propre corps ne lui appartient plus. À l'occasion, il lui est arrivé que les membres du côté gauche de son corps s'engourdissent brutalement. Prise de panique, Alizée s'est alors frictionnée au point de faire rougir sa peau devenue écarlate. La peur l'a immédiatement gagnée la première fois où elle s'en est trouvée confrontée. Il ne lui en a guère fallu davantage pour qu'elle s'imagine être atteinte de paralysie progressive et voir le jour poindre où elle se pétrifierait, réduite à finir le reste de son existence clouée dans une chaise roulante et rester à jamais prisonnière de sa carcasse immobile. Son physique et son mental déconnent à l'unisson, alimentés par ces questions orphelines de réponses. Le besoin de savoir continue de bouillonner entre ses entrailles. Il lui détruit le cerveau. De quelle façon s'est tramée cette nuit d'été de l'arrivée d'Alice aux festivités à son départ ? Le déroulement de la soirée, la quantité d'alcool ingérée, la sienne et celle des autres, le nom des personnes qui sont censées avoir essayé de s'interposer entre son volant et elle, l'heure réelle à laquelle elle a mis les clefs sur le contact… ? Elle n'avance pas et la meilleure amie d'Alice sur la défensive n'a rien fait pour l'orienter sur la bonne théorie, bien au contraire. Sa sœur le mérite et en sa mémoire, elle se doit de collecter le plus minuscule indice dans le but ne serait-ce qu'infime de ne plus se laisser bouffer par cette nuit estivale. Avec le temps, on analyse les informations emmagasinées, on les décortique afin de découvrir ce qu'elles renferment dans le bide, spécialement quand un travail pénible de deuil en dépend. Sans elles, il lui serait impossible de faire le moindre pas dans cette direction. Le deuil constitue en lui-même un cheminement complexe, long et personnel, Alizée note, en supplément, qu'à l'intérieur de sa cellule familiale, chacun se comporte de manière singulière par rapport à ce monstre silencieux. En définitive, le *deuil* mériterait de s'écrire au pluriel. Un deuil, une personne. C'est comme s'il existait autant de façons d'entreprendre cette œuvre que d'individus sur la surface de cette Terre. Ne serait-ce que dans son propre foyer, le choc de mort a exacerbé les personnalités de ces trois membres. Sa mère, qui se présentait comme quelqu'un de résolument froid, l'est plus encore aujourd'hui. Le perfectionnisme est devenu son maître mot. Rien ne doit cafouiller, rien ne doit sortir du rang, tout doit être sous contrôle, sous SON contrôle. Ce trait de caractère est bien assez pénible dès lors qu'un proche parent en est atteint, mais si, en plus, cette dite personne le fait subir à l'ensemble de la maisonnée, cette particularité en devient très vite invivable. À la seconde où on en vient à assigner son exemple comme figure imposée indiscutable à son mari et à sa fille en exigeant d'eux qu'ils se muent en êtres parfaits exempts de défaillance, la pression se fait écrasante. Sa mère exige la perfection. La sienne. Il suffit de la regarder avec attention pour s'en rendre compte ; brushing impeccable, chevelure auburn scintillante et permanentée, robe vintage ajustée épousant les contours de sa silhouette longiligne flatteuse, maquillage discret et manucure propre. Son père, quant à lui, émet de tout son être l'irrépressible envie de se tenir à l'écart. Non pas qu'il soit insensible au drame qui les a fauchés, il était en adoration devant sa fille aînée, néanmoins, il semble prendre les choses avec philosophie et calme, phénomène qui déstabilise sa deuxième fille, elle, qui a été tant de fois témoin par le passé de l'incapacité de son père à faire face. Et voilà qu'aujourd'hui, elle se surprend à admirer sa quiétude olympienne. En somme, contrairement à sa femme, il parvient, on ne sait comment, à relativiser les problèmes de la vie journalière, jugeant qu'un pneu crevé ou un rendez-vous manqué ne sont plus dignes de son angoisse. « Laisser couler », sa devise vieille d'un mois. À côté d'eux, Alizée se sent larguée. Six semaines ont beau s'être écoulées, son attitude stagne, son cheminement reste bloqué au stade de légume décérébré, impropre à reprendre le cours de son existence. Se rendre en brave petite fille modèle au collège, au studio de danse ou à l'école municipale d'art pour y suivre des cours relève de l'exploit voire de l'insulte. Une injure inconcevable à l'encontre de sa sœur aînée. Alice est sa sœur, Alice est leur fille, elle a été faite de leur sang, de leur chair, ils n'ont pas le droit de se replonger dans leur quotidien, de faire comme si rien n'avait changé. Leur famille restera à jamais amputée. Une maison nécessite quatre piliers solides pour tenir debout et lorsque l'un des quatre flanche, le reste suit et s'effondre. La leur a flanché, puis s'est écroulée. Elle n'est plus qu'un champ de ruines désormais.

Vivrions-nous différemment si nous savions l'échéance de notre mort avant de la vivre ? Vivrions-nous plus intensément ? Ou au contraire, serions-nous sclérosé par la peur, complètement paralysé à l'idée de cette fin imminente ? Serions-nous plus conscients de ce qui et de ceux qui nous entourent ? Plus lucide et plus heureux de vivre sur cette Terre ? Changerions-nous notre manière d'appréhender l'avenir en le prenant avec plus de légèreté ?

À force de penser à ce ramassis de conneries, Alizée est prise de vertiges. Elle a besoin de sortir de l'emprise étouffante de ces murs au plus vite. Ici, elle suffoque, l'oxygène se raréfie. De l'oxygène, il lui en faut de toute urgence ou elle crève sur place ! Ni une ni deux, elle s'échappe par la porte d'entrée, court droit devant à la vitesse cisaillée de ses jambes fuselées de danseuse et ne s'arrêtera qu'à la minute où ses forces se seront épuisées.

Sans qu'elle sache vraiment comment, l'adolescente atterrit dans un quartier très éloigné du sien. Le quartier des Lilas. Elle s'y est déjà rendue avec sa sœur il y a un an et des poussières, Vincent réside dans ces rues-ci. Son subconscient la connaît bien, sa venue n'est pas due au hasard, il l'a poussée jusque dans cette ruelle à la pénombre grandissante, devant cette maison étonnante à l'allure de manoir. D'un pas décidé, Alizée pousse la porte du portail, s'engouffre dans l'allée du jardin entretenu par des mains vertes expertes et braque devant l'imposante porte taillée finement dans un bois d'ébène. Devant pareille bâtisse, nul ne doute de la richesse que possède la famille de Vincent. En effet, d'après ce qu'en a rapporté Alice, le père de Vincent dirige une entreprise florissante d'import-export. À en constater leur demeure, ils tiennent à ce que cela se sache.

En amont de manifester sa présence, Alizée tend l'oreille, histoire de tâter le terrain, mais n'y entend qu'un silence vide placide. Se sentant quelque peu idiote à rester planter face à cette boiserie verrouillée, elle se résout à se saisir du heurtoir à tête de lion qu'elle vient ensuite frapper contre le bois opaque. Les occupants auraient-ils déserté le temps de ce vendredi soir ? La douce lueur en transparence à hauteur des fenêtres lui offre pourtant l'espoir que non ou se tromperait-elle ?

Alors que Alizée s'apprête à rebrousser chemin, la lourde porte se décide à tourner sur ses gonds. Une frêle mamie d'à peine un mètre cinquante de haut emmitouflée dans un long plaid rouge à grosses mailles apparaît dans l'entrebâillement.

— C'est pour quoi, jeune fille ? s'enquiert-elle d'une voix chevrotante fatiguée.

— Je… Bonsoir, madame, pardonnez-moi de vous déranger, je souhaiterais voir Vincent, s'il vous plaît. Il est là ?

À ces mots, une étincelle fugace éclaire le regard de la vieille dame escortée d'un sourire empli de bienveillance dessiné sur sa fine bouche ridée.

— Bien sûr, ma petite chérie ! Je suis son arrière-grand-mère. Je crois qu'il est en plein travail au sous-sol, je vais le chercher. Mais rentre, insiste la sexagénaire en l'agrippant fébrilement par le coude, je ne serai pas longue, mignonne. Va donc t'installer dans le salon, c'est au fond de ce couloir. Tu vas vite trouver, tu ne peux pas te tromper.

Au vu de l'opulence d'œuvres d'art mises en valeur ici et là, le constat est d'autant plus clair : la famille de Vincent ne manque décidément pas de blé et en fait allègrement l'étalage. On se croirait propulsé au beau milieu d'un musée particulier dont la beauté impose le silence aux visiteurs curieux. Ce vide acoustique propre à ces sanctuaires de la culture où l'esprit des passants éphémères se plient à la solennité des lieux et se taisent en marque de respect. Et malgré cela, une certaine chaleur émane de cet endroit notamment grâce à ces fascinants jeux de lumière qui, rebondissant sur les courbes marbrées des sculptures et des surfaces nacrées des verreries florales, traversent les statuettes pour achever la magnificence des tableaux muraux exposés.

Au bout du corridor, un rideau rouge bordeaux a remplacé le traditionnel battant. Intriguée, Alizée le fait glisser sur ses œillets et, en satisfaction de sa curiosité juvénile, y engouffre son fin visage.

Le salon en parfaite adéquation avec l'ambiance générale de l'habitation respire le baroque gothique à pleins naseaux, l'adolescente rit en imaginant la célèbre famille Addams au grand complet couler d'heureux jours dans cette maison. Fêter Halloween à cette adresse serait diablement jouissif.

— La curiosité est un très vilain défaut, on ne te l'a jamais enseigné, fillette ?

Alizée pousse un cri de stupeur strident.

— T'es maboule, j'ai failli faire une crise cardiaque par ta faute !

— Excuse-moi, c'était trop tentant ! Il faut dire que l'atmosphère de cette baraque rassure peu de gens, observe non sans malice un Vincent en jogging, noirci et puant la mécanique.

— Tu déconnes ? Moi, j'adore ! On se croirait dans un film de vampires, c'est trop cool !

Celui-ci sourit à l'évocation pour le moins cocasse.

— Si les goûts à la Dracula sont en accord avec les tiens, je m'en réjouis. Mis à part cela, dis-moi, que me vaut le plaisir de ta visite ?

— En fait... Ça va te paraître bizarre... Je suis partie de chez moi tout à l'heure et je me suis retrouvée devant chez toi comme par magie. Je ne saurais t'expliquer comment j'ai atterri dans ton quartier, répond-elle, sincère, mais confuse.

Vincent considère l'intervention verbale d'un temps d'arrêt durant lequel il dévisage Alizée de ses yeux aux reflets rougeâtres si perturbants, raison qui explique le port systématique de lunettes opaques dès lors qu'il se joint au monde extérieur.

— Bizarre est le mot qui convient... Tes parents ne sont pas au courant de ta fugue, c'est bien ce que je dois comprendre ?

Pendant un court instant, Alizée ne parvient pas à saisir si l'initiative de Vincent relève plus d'une question que d'une affirmation. Le seul ton de sa voix n'aura pas suffi à l'aiguiller.

— Une « fugue », tout de suite les grands mots. Je suis partie comme une voleuse, c'est vrai, mais je n'ai pas fugué, admet-elle en plantant son menton dans sa veste.

Incarné de sa collante impassibilité, Vincent reste perplexe devant sa réponse.

— Ton histoire manque de clarté. Si j'ai bien suivi, tu prétends ne pas savoir pourquoi tu es ici ni pourquoi tu es partie de chez toi.

Sa phrase pourtant dénuée de reproches transperce le cœur d'Alizée entraînant en simultané l'ascension de ses larmes.

— Si, ça, je le sais… Je n'y arrive plus… Je n'arrive plus à faire comme si rien n'avait changé, Vincent… Rester avec mes parents, dans cette maison, passer devant sa chambre, manger à proximité de sa chaise vide, c'est devenu trop dur pour moi. En plus, ils n'arrêtent pas de s'engueuler, je les entends le soir. Je crois même que ma mère trompe mon père. Elle rentre de son boulot super tard. Ils ne se regardent plus. Je ne peux plus me tenir à leurs côtés, les regarder vivre, les regarder se convaincre que l'on doit continuer coûte que coûte, qu'il nous ait interdit de flancher, alors que moi, je n'en trouve pas la force. J'ai envie d'exploser tout ce qui me passe sous la main ! J'en ai juste plus rien à foutre de rien. Plus rien n'a d'importance maintenant.

— Assieds-toi, gamine, lui conseille-t-il d'abord, en la guidant par le bras vers le canapé à pied de lion du salon.

Les rivières salées coulent sans bruit sur les joues enflammées de la jeune fille pendant qu'il la déleste de sa veste puis la délaisse le temps nécessaire pour prendre une bière blanche sans alcool dans une console à porte unique.

— Bois, cela te fera le plus grand bien, lui assure-t-il en lui tendant la bière qu'il décapsule à l'aide d'une de ses grosses bagues hardcore.

Alizée le remercie d'un hochement de tête imperceptible et obéit. Vincent a vu juste, le liquide pétillant ne tarde pas à l'apaiser. Les bulles dansantes des boissons pétillantes lui ont toujours fait cet effet relaxant étrange.

— Tu faisais quoi dans le garage ? tente-t-elle aspirant à un détournement fugace de la discussion, même subliminal, de son problème.

— Oh, je bidouillais sur ma bécane et il y a de quoi faire, crois-moi. Le pire de tout, c'est que je ne peux m'en prendre qu'à moi-même, je l'ai abandonnée trop longtemps et voilà, le résultat ! Mais on s'en tape, conclut-il, balayant sa réplique d'un revers de la main, tu sais, petite, je comprends que tu hésites à te confier en croyant que personne ne peut comprendre ce que tu ressens, ou du moins les gens qui n'ont jamais eu à vivre un malheur tel que le tien.

Elle opine du chef en continuant de fixer les bulles effervescentes de sa bière belge.

— Oui, c'est mon sentiment... Personne ne comprend...

Quand Alizée relève enfin la tête, elle s'aperçoit que l'ex-petit ami de sa sœur s'est accroupi devant elle pour lui faire face.

— Et tu as entièrement raison, c'est pour cette raison que tu ne dois pas craindre de me dire ce qui te pèse. En revanche, je voudrais bien connaître le nom de l'abruti qui prétend que tu ne pourrais pas craquer ? C'est humain... Auquel cas, cela ne ferait en rien de toi quelqu'un de faible, de médiocre. Craquer maintenant t'éviterait, au contraire, un effet boomerang pervers dans plusieurs décennies.

Croyant bien faire, Vincent prend les mains d'Alizée dans les siennes, assombries de cambouis par ces heures passées à travailler sur sa moto, comme pour l'inciter à se confier, mais son geste ne produit pas l'effet escompté. Prise de tremblements incontrôlables, l'inconsolable rate de peu de renverser la bière calée initialement entre ses genoux sur le beau tapis noir décoré d'arabesques bleu nuit.

— On est seuls dans la vie et ceux qui prétendent le contraire se voilent la face. Je hais ce monde, finit-elle par lâcher entre deux sanglots.

Les larmes montent à chacun de ses mots, piquant ses yeux rouges de fatigue. Alizée essaie de les retenir à un point tel qu'elles finissent par la faire souffrir.

— Je connais la raison pour laquelle tu as tant de mal à faire confiance aux autres mais dire que tu es seule, c'est faux, Alizée, tu ne l'es pas. Regarde autour de toi. Je suis là. Tu m'as également parlé d'une amie rencontrée en cours de dessin, ça nous amène à deux et tu as beau ne pas l'entendre dans l'immédiat, tes parents aussi sont présents à tes côtés. Peut-être qu'ils s'y prennent mal, mais fais-moi confiance, ils sont là pour te soutenir. Raccroche-toi à ces relations, on est tous prêts à répondre à l'appel et à t'aider à garder le cap quand tu en sentiras le besoin.

Cet élan d'amour réchauffe le cœur d'Alizée, pour autant, l'idée qu'ils puissent être réellement en mesure de la secourir peine à trouver son chemin.

Et avant même qu'elle amorce une tentative pour calmer les ardeurs secouristes du Saint-Bernard qu'il est, Vincent se racle la gorge et reprend le cours de sa pensée :

— Ta sœur m'a raconté que tu avais été harcelée par des élèves de ta classe en début de collège lorsque vous habitiez encore en Bretagne, par conséquent, c'est tout à fait audible que faire de nouveau confiance ou te dévoiler aux autres t'est devenu difficile depuis.

Alizée manque de s'étrangler avec sa propre salive.

— Qu... Quoi ? Non, mais de quoi tu me parles là ?

Pourquoi lui balance-t-il ce truc maintenant ? Et chose essentielle, quel est le putain de rapport entre la mort de sa sœur, ce harcèlement passé et le fait qu'elle se sente si anéantie ? Oui, les événements d'il y a trois ans révolus l'ont affectée de manière significative, toutefois, elle s'en est sortie, c'est de l'histoire ancienne. Passer son temps à regarder en arrière ne lui ressemble pas, elle veut oublier ces années sombres. Puis, merde, quelle mouche a bien pu piquer Alice ? Que lui a-t-il pris de s'épancher auprès de Vincent sur un épisode intime la concernant ? En quoi cela le concerne, lui ?

— Excuse-moi, vu ta réaction, je sens que j'ai gaffé en te ramenant à cette époque, elle ne pensait pas à mal. Vraiment, elle s'était inquiétée pour toi, déclare-t-il en se massant le haut du crâne l'air embêté, son tic favori.

— Ma sœur te racontait vraiment tout hein ?

De prime abord, le son de la voix féminine subitement calme déstabilise le jeune homme, se refusant tout compte fait à l'accabler outre mesure, lui, qui ne peut être tenu pour responsable quant à l'origine de cette indiscrétion.

— Tout, je n'irai pas jusque-là, ta grande sœur était pleine de mystères. Le secret est un trait héréditaire dans votre famille et tu ne fais pas exception.

Alizée répond à cette dernière réplique par un œil qu'elle veut torve.

— Et ça lui arrivait de te parler de moi parfois ?

L'égocentrisme de cette simple interrogation gagne également le droit de figurer sur la liste.

— Oui, fréquemment, elle t'admirait beaucoup, tu sais.

— Comment ça ? M'admirer ? M'admirer de quoi ? demande Alizée, choquée.

— Elle appréciait ta force de caractère, ta détermination à toute épreuve. Elle disait que tu ne lâchais rien jusqu'à ce que ton objectif visé soit atteint. Ça l'impressionnait beaucoup.

— Tu te fous de moi, arrête… J'ai cinq ans de moins qu'elle, on n'admire pas les gamines.

Une vague d'émotion incontrôlable teintée d'ironie monte en elle menaçant bientôt de débordement.

— Je n'invente rien.

— Je ne l'aurais jamais deviné, fait-elle, les paroles de sel prêtes encore à jaillir, et toi, tu crois que tu vas l'oublier un jour ?

Vincent la scrute, hébété, et vacille sur ses jambes à se retrouver, le cul contre le tapis.

— Et bien, comment te dire… commence-t-il tout en triturant les jointures de ses doigts avec embarras, on ne se connaît pas si bien toi et moi. Non pas que je ne t'apprécie pas, bien au contraire, je te considère comme ma petite sœur. Mais c'est seulement difficile de parler de ce sujet avec toi parce que, justement, tu es sa petite sœur.

La gêne s'empare aussitôt de la jeune danseuse. Sous prétexte de partager le sang d'Alice, elle se permettrait d'entrer de force dans l'intimité de son petit copain et de pousser le vice à lui demander des comptes ?

— Excuse-moi, je ne devrais pas te poser des questions aussi personnelles. Pardonne-moi, tu n'es pas obligé de me répondre, j'en deviens ridicule et totalement déplacée.

Vincent se rapproche encore.

— Ce n'est rien, je fais trop de manières, je crois. C'est ça d'être un vieil ours mal léché, on se sent tout de suite agressé dès qu'une personne nous interroge sur notre vie privée, la rassure-t-il le sourire aux lèvres en la voyant gauche pouffer tandis qu'il vient s'asseoir à ses côtés sur le canapé après lui avoir tapoté gentiment le sommet du crâne pas peu fier de son exploit, je t'ai au moins fait esquisser un sourire, j'ai déjà remporté une victoire.

Cette fois-ci, Alizée s'est redressée, abandonnant sa position figée d'âme désemparée. À présent, leur proximité est telle que leurs bras se touchent et s'effleurent à chaque phrase prononcée.

— Tu dois avoir conscience que ta sœur représentait énormément à mes yeux. J'utilise le passé à défaut, le présent s'y prête encore. C'était elle, c'est elle et ce sera toujours et à jamais elle. Je pense que si je fréquentais une autre fille, j'aurais l'impression de la trahir, tu vois. L'idée même de la remplacer me donne le tournis. C'est con à admettre, mais il faut perdre une personne pour mesurer l'attachement que l'on pouvait porter à son égard, avant, on ne le soupçonne qu'à moitié.

Alizée ne peut s'empêcher de grimacer en entendant cette expression d'euphémisme mortuaire qu'elle déteste. « Perdre une personne », comme si l'on comparait une personne faite de chair et de sang palpitant à un vulgaire trousseau de clefs. Elle, ce sont ces mots-là qui lui donnent envie de dégueuler. Ce méfait métaphorique serait digne de la proscription, car subir l'arrachage d'un être aimé, c'est aussi voir une partie de soi s'envoler en fumée.

— Je voudrais te faire part d'un secret entre Alice et moi, mais avant de le faire, je te demanderai de le garder pour toi. Personne n'est au courant alors je t'en supplie, fais-moi la promesse de ne jamais le répéter à quiconque, pas même à tes parents.

— Oui, oui, je te le promets ! Croix de bois, croix de fer, jure-t-elle, troublée de découvrir un mec d'ordinaire si assuré et confiant flirter soudain avec la vulnérabilité.

Vincent prend une dernière inspiration, fin prêt à se lancer.

— Ta sœur et moi, on comptait se marier au printemps prochain… On en a longuement discuté, on était décidé à franchir le pas. Tu te souviens de cette fête prévue pour le mois d'octobre ?

En dépit de l'onde de choc reçue, Alizée hoche la tête pour lui signifier son approbation. Le carton d'invitation trône toujours à l'heure actuelle en bonne place dans sa chambre, épinglé au-dessus de son bureau parmi le fouillis de cartes postales et de photos.

— On avait prévu de vous y annoncer nos fiançailles… et ce n'est pas fini, murmure-t-il, la gorge serrée, on nourrissait aussi le projet de prendre un appartement ensemble à Grenoble, elle m'aurait rejoint à la fin de cette année scolaire ses deux ans d'IUT en poche pour y poursuivre un cursus universitaire. Tes parents n'auraient pas apprécié !

Sonnée par ces incroyables nouvelles, Alizée peine à faire émerger un mot de sa bouche. À leur place, seuls ses yeux exorbités d'effarement traduisent sa détresse.

— Merde alors, souffle-t-elle dans un soupir, c'était vraiment sérieux entre vous deux…

— Oui. Quand on s'aime, attendre ne vaut rien.

— Je vous aurais soutenu, pour moi, vous formez un couple sublime. Non, un couple parfait.

— C'est gentil, je te remercie.

— Vincent, je peux encore te poser une question ?

Alizée baisse le regard, honteuse à la perspective de formuler l'objet de ses obsessions.

— Bien sûr, on est là pour ça, je crois. N'aie pas peur, quoique ce soit, je ne le prendrai pas mal, continue.

— Je voudrais comprendre… Tu sais, le jour où Alice est morte ?

À la simple captation de ces mots, la main de Vincent posée sur la sienne, qui s'est voulue jusqu'à présent réconfortante, se mue en un appui crispé.

— Oui, vas-y, dis-moi, l'incite-t-il néanmoins troublé.

— Je n'arrête pas d'y penser. Qu'est-ce qu'on t'a rapporté de cette soirée ?

— Comment ça ?

— Tu ne te poses jamais de questions, toi ? Moi, tout le temps, du style à me demander si ses potes ont réellement insisté pour qu'elle dorme sur place ou est-elle partie sans qu'on ne la voie et que pour se donner bonne conscience, ses copains se sont arrangés pour faire croire qu'ils avaient fait le nécessaire ?

— Non, j'ai déjà assez de mal à accepter sa mort pour en plus m'ajouter cette charge, lui jette-t-il au visage en évitant de porter ses yeux sur elle.

— Et toi, où te trouvais-tu ? Pourquoi n'étais-tu pas auprès d'elle cette nuit-là alors que vous passez les trois quarts de votre vie collés l'un à l'autre ?

Si Vincent perçoit l'accès de colère dans la réplique de la jeune fille, il n'en laisse rien paraître, au lieu de quoi, son corps entier reste en suspens, se contentant de jauger celle qui peut-être serait devenue sa belle-sœur dans un futur proche maintenant évanoui.

— Tu me demandes les raisons pour lesquelles je n'étais pas à ses côtés pour l'empêcher de boire et pour la raccompagner saine et sauve chez elle, c'est bien cela que tu exiges de moi ?

— Oui, plus ou moins.

Un silence s'est invité sur ce canapé qu'aucun n'ose briser. Le temps est suspendu, perdu entre cette nuit estivale funeste et ce soir de seconde moitié de septembre. L'attente de la réponse presse la poitrine d'Alizée qui se soulève rythmée d'à-coups saccadés. Souhaite-t-il la torturer, la contempler se vautrer à ses pieds, suffoquer de cette crise de panique qui la guette ? Pourquoi s'arrêter en si bon chemin ? Croit-il que par sa démarche, elle souhaite l'accuser ? Pourtant, en dépit des apparences, il n'en est rien, seules les réponses espérées salvatrices lui importent.

— Je ne m'y suis pas rendu parce que j'avais la gueule de bois, se décide-t-il enfin, c'est débile, oui, mais c'est la stricte vérité. J'étais sorti la veille avec des camarades de promo, j'étais crevé. Je me suis couché vers vingt heures ce soir-là. Je m'en veux, je m'en veux tellement, tu ne peux pas savoir à quel point.

— Une gueule de bois et puis, quoi encore ? Tu n'as pas une autre excuse, celle-là est nulle ? lance-t-elle froidement tant enfermée dans son chagrin qu'elle reste indifférente à celui de l'amour de sa sœur.

— Je rêve ou tu sous-entends que je suis en partie responsable de la mort d'Alice ?

Le boomerang lâché percute de plein fouet Alizée. Au départ, occupante de la confortable place de la présupposée à l'instruction à charge, maintenant, au box des accusés.

— Non, non... tu n'y es pour rien. C'est ton explication, j'ai du mal à la digérer.

— Il faudra t'en contenter, je n'en possède aucune autre en rechange, lui rétorque-t-il d'un ton mi-figue mi-raisin, tu ferais mieux d'appeler tes parents, ils ne vont pas tarder à s'inquiéter. Imagine s'ils signalaient ta disparition aux flics, on serait malins. Téléphone-leur et préviens-les que tu manges ici avec nous.

Rancune, susceptibilité, fierté ? Vincent en est exsangue.

De bonne grâce, Alizée s'exécute, se lève et file hors du salon en quête d'intimité. Dans sa précipitation à fuir, elle a oublié l'invitation à dîner des voisins, ses parents étant les uniques concernés, son lot de solitude en demeure donc intacte. La déception la cueille, accompagnée du regret que son échappée ait déclenché le moindre esclandre.

— Je ne voudrais surtout pas déranger ton arrière-grand-mère, elle a sans doute mieux à faire que de s'occuper de nourrir une squatteuse inattendue, s'alarme Alizée tandis qu'elle refait surface dans le salon à l'allure baroque son coup de fil passé.

— Ne t'en fais pas, va, elle adore la compagnie des p'tits jeunes et elle prévoit toujours trop alors niveau quantité, il y aura de quoi faire. Je te parie qu'elle en sera ravie ! Je file tout de suite aller l'informer que tu restes manger. Attends-moi là, je n'en ai pas pour long ! Tu n'as qu'à finir ta bière en attendant, lui recommande-t-il avant de s'éclipser à son tour au travers du rideau.

Seule pour la seconde reprise, son postérieur las cède face à l'appel du luxueux canapé couleur rouge sang la sommant de s'y poser, sa bière patiente en main.

Ils passeront à table une demi-heure plus tard dans la salle à manger calquée sur le style raffiné d'ensemble. Une table en merisier anormalement longue digne des romans de fantasy chers à sa sœur, sur laquelle quatre grands chandeliers ornementés ont pris place sur un chemin de table central de dentelle noire, grignote le centre de la pièce. Le décalage avec l'environnement extérieur est total.

— Prenez place, les enfants ! J'y ai mis tout mon cœur. Régalez-vous, les invite l'avenante vieille dame au bout de cette table d'une longueur presque grotesque.

Une fois attablés, l'un en face de l'autre, de chaque côté de la vieille dame espiègle, les deux amis se mettent à scruter les multiples mets préparés avec amour par l'arrière-grand-mère de Vincent, le premier avec délectation, la deuxième, le cœur au bout des lèvres. Au menu : crevettes sautées marinées dans une sauce à la noix de coco subtilement relevée suivies d'un poulet aux girolles et d'une charlotte aux fraises provenant directement du potager familial. Ce soir-là, l'option du grignotage apparaîtra comme l'alternative la plus diplomate à adopter pour Alizée.

Vingt et une heures trente au tableau de bord, aucune lumière ne perce aux abords de la maison, l'escapade culinaire parentale n'a pas encore pris fin. Son escapade nocturne aura donc passé presque inaperçue.

— Bon sang, ta déco a tellement changé, note l'accompagnateur au seuil de la chambre d'Alizée.

— Tu trouves ?

L'intégralité de ses affaires d'enfant poussiéreuses a valsé au cours d'un fou week-end, troquant peluches et fanfreluches de gamines contre des posters de rock avec comme bobines Marilyn Manson, Dita Von Teese, le groupe finlandais The Rasmus, les Sex Pistols, les Clash et autres groupes de punk ou de métal qu'elle a récemment découvert en surfant sur le net. Entraînée dans son élan, elle a poussé le trait extrême au moyen d'un relooking mural de sa chambre d'une couleur rouge bordeaux aidée par son père malgré des grognements désapprobateurs maternels. La révolution culturelle ne s'est pas limitée aux bornes de ces cloisons, ses playlists musicales ont, elles aussi, reçu leur dose de renaissance. Bienvenue aux Franz Ferdinand, aux Strokes, aux Ramones, à Janis Joplin et à leurs joyeux compères rockeurs enragés/engagés. L'ancienne Alizée a fait sa révérence. Les babioles de mômes n'ont plus leur place dans son antre. Moins elle se penchera sur son passé, moins elle souffrira. Logique imparable.

Tout à coup, elle réalise n'avoir jamais autorisé Vincent à pénétrer sur ses terres avant ce soir.

— Quand es-tu venu dans ma chambre ? Je ne t'y ai jamais invité ou alors j'ai totalement zappé de ma mémoire cet épisode...

L'espace d'une fraction de seconde, Vincent prend une attitude d'enfant pris en faute, mais se ressaisit tout aussi vite, un léger sourire empreint de nostalgie aux lèvres.

— C'est vrai, hormis après l'enterrement, je n'y suis jamais rentré en ta compagnie. Même sans cela, je n'y voyais pas clair ce jour-ci, j'ai regardé sans voir…

Un froid intense vient glacer la nuque blanche d'Alizée. Elle avait occulté l'événement du téléphone. Son esprit, lui aussi, devait être parti au-delà des cieux.

— Je suis venu ici sans toi… Avec ta sœur, rectifie-t-il en se retournant face à Alizée, un air pensif sur le visage. C'était peut-être deux mois après le début de notre relation, elle a voulu me faire visiter la maison dans laquelle elle et sa famille habitaient. Une chose en entraînant une autre, elle a ouvert ta porte. Je crois me souvenir que tu étais à l'anniversaire costumé d'une de tes copines de classe ou quelque chose de ce genre.

Alizée esquisse un rictus à l'évocation de ce souvenir. La mémoire de Vincent aux antipodes de la sienne ne lui fait pas défaut, elle participait bien cet après-midi-là à un goûter d'anniversaire d'une copine de cinquième parée d'un magnifique cosplay de Sailor Moon.

— Je ferais mieux d'y aller, tes parents ne vont pas tarder.

Mais alors que Vincent amorce un pas vers la porte de sortie, Alizée le retient par la manche en ricanant.

— Ne sois pas bête, comme si mes parents allaient hurler en te découvrant chez nous. Ils te font entièrement confiance, tu fais presque partie de la famille maintenant.

— Oui, presque, répète-t-il devant la moue dubitative exprimée par la jeune fille aux cheveux de feu, je ne crois pas que tu en aies conscience, mais tes parents ne me portent pas spécialement dans leur cœur. Ils n'ont pour ainsi dire jamais approuvé ma relation avec ta sœur.

— Si, à l'enterrement, j'avais cru à une erreur, admet Alizée, mais à côté de ça, tu étais souvent à la maison. C'est bizarre. Qu'ont-ils à te reprocher ?

— Rien et tout à la fois. De ce que j'en tiens d'Alice, ta mère ne cessait de lui matraquer que je n'étais pas un garçon respectable, que je « ne présentais pas bien » selon elle. Elle aspirait à mieux pour sa fille probablement.

Le sang d'Alizée ne fait qu'un tour.

— Qu'est-ce qu'il ne faut pas entendre ? C'est ma mère dans toute sa splendeur ! Ne fais pas attention, elle a la manie de juger les gens sur leur apparence… Et de toute façon, jamais personne n'est trop bien à son goût, que ce soit dans sa famille ou dans son entourage professionnel ou amical ! Personne ! Ne te prends pas la tête pour elle !

Vincent semble accueillir ses paroles avec un certain apaisement.

— Bon, quoiqu'il en soit, je crois qu'elle verrait d'un sale œil le fait que je me trouve ici si tard et à tes côtés qui plus est… Allez, je te laisse ! Pas besoin de me raccompagner, je connais le chemin. Dors bien, roussette, essaie de laisser couler, lui souhaite-t-il d'un baiser fraternel sur le front, et à l'avenir, évite ces petites fugues irréfléchies ! Tu m'appelles et on avise.

Une fois Vincent parti, Alizée échange ses fringues de la journée pour une tenue plus décontractée. Cette mission achevée, elle descend dans la cuisine en quête d'une boisson. Il lui faut quelque chose de frais, de désaltérant. Une bière, cette fois-ci avec alcool, fera l'affaire. Son père en entrepose toujours quatre ou cinq dans le frigo, il n'y verra que du feu.

Au moment de refermer la porte du réfrigérateur, un grattement à la fenêtre lui fait dresser les cheveux sur la tête. Prise la main dans le sac ! Incapable de se mouvoir, elle s'imagine en train d'être sommée de se justifier sur ce flagrant délit devant sa mère qui fulminera tant qu'elle pourra devant le comportement intolérable de sa plus jeune fille. Mais en se retournant, elle découvre non sans un grand soulagement l'identité du fauteur de troubles en une femelle poilue, sa chatte, Pietra.

— Tu m'as fait une de ces peurs, Pietra, se plaint-elle au moment d'ouvrir la fenêtre au-dessus de l'évier en faïence à une élégante minette vêtue d'une robe gris perle et de plaisants chaussons blancs.

Sa deuxième bière de la soirée au bout des doigts, Alizée remonte dans son royaume adolescent, Pietra heureuse et satisfaite à ses trousses. La porte refermée derrière elles, Alizée attrape son sac en bandoulière et en sort le fameux joint sur lequel elle a refusé catégoriquement d'y déposer les lèvres il y a une semaine à peine après une sortie en ville. À titre de représailles, Salomé le lui a refourgué en lui faisant jurer de le fumer en temps voulu. Ces jours de végétation n'ont pas eu raison de lui, un joint banal se serait émietté, voire fait écraser, écrabouiller par le poids de ses affaires de danse, ses pointes en premier, lui, non. C'est un signe du dieu de la défonc', elle se doit de le fumer et maintenant qu'elle l'a extirpé de sa cachette, elle ne va pas le destiner au sacrifice de la poubelle. Le gâchis est proscrit ! Une bière (deux si elle compte celle filée par Vincent) + un joint + un petit film d'animation = le tiercé gagnant de la zen attitude ! Chamboulée par toutes ces péripéties émotionnelles, elle mérite cette parenthèse apaisante.

« Cette beuh décalque », lui a certifié Salomé en le lui refilant, elle n'a pas menti, une vague de chaleur enivrante lui a transcendé le cerveau dès la quatrième latte. La soirée finit en beauté, du moins, mieux qu'elle a commencé. Que demander de plus ? À part peut-être son film qu'elle a omis de démarrer, rien. Une brève fouille du contenu de son disque dur entreprise, elle se choisit, le joint fumant au bec, *L'étrange Noël de Monsieur Jack,* ou *The Nightmare Before Christmas* pour les puristes bilingues du stupéfiant Tim Burton. Le surkiffe sera total. Môme, il était déjà son film d'animation préféré. Le DVD a beau avoir subi le matraquage d'une bonne cinquantaine de visionnages, il tient encore la route. Increvable. Quand on aime, on ne compte pas, paraît-il. Ce film a gagné l'engouement dont il fait l'objet, elle le considère parfait de A à Z, de l'ambiance gothique réjouissante au scénario rythmé avec des personnages aux caractères loin d'être manichéens comme certains autres. Loin de s'y apparenter, *L'étrange noël* tranche avec la mièvrerie coutumière que servent d'ordinaire les productions filmographiques enfantines. Depuis toujours, Alizée ne peut piffer les dessins animés créés par l'industrie *Disney* qu'elle juge trop gnangnan et simplistes, surtout les histoires de princesses (ou pas) grognasses qui passent leur vie à attendre qu'un type en collants (ou pas bis) vienne les secourir de leur existence solitaire. Bien sûr, certaines font exception, se rebellent, comme

Pocahontas, Belle ou Mulan mais là encore, l'amour en est l'issue inévitable. Cette opinion s'est forgée à l'époque de ses cinq ans où elle a commencé à se pencher sur la question et le bilan n'a pas été folichon, ces scénarii la mortifiaient. L'unique princesse trouvant grâce à ses yeux se prénommait Anastasia, mais comme tout le monde devrait le savoir, cette fiction n'a pas été produite par les studios *Disney* mais par la *Century Fox*. CQFD. Non, elle, ses modèles se baladent entre *Cat's eyes*, *Catwoman* et *Lady Oscar*, des femmes fortes, libres, indépendantes et de caractère qui n'attendent rien des hommes ou, mieux, les utilisent. Voilà, les héroïnes qui la font rêver. Le sexisme au placard ! Et avec *L'étrange Noël de monsieur Jack,* elle sait d'emblée qu'elle va se régaler pour la cinquante et unième reprise.

Tout à coup, un claquement vif la fait violemment sursauter, l'arrachant de son petit nuage fumeux. Deux énormes sursauts en deux heures, son cœur va finir par le lâcher. Ses parents sont de retour. Quelle sotte ! Elle s'est endormie, le joint à la main ! Une chance que ces trucs s'éteignent dès lors qu'on se hasarde à les délaisser, sans quoi, elle était bonne pour le barbecue humain style cochon grillé la broche en option. La première vague de panique avalée laisse bientôt le champ libre à une seconde salve beaucoup plus ravageuse, et s'il prenait la saugrenue idée à ses parents de monter lui souhaiter la bonne nuit, ils sentiraient l'odeur épicée et âcre si caractéristique du shit à coup sûr ! Il ne faut surtout pas qu'ils rentrent ou elle devra se résoudre à faire ses valises pour une austère pension suisse ! Dans la hâte, son ordinateur tombe de son lit dans un bruit sourd. Rien de comparable au jour où Alizée a renversé le contenu de son bol de soupe chinoise en plein sur le clavier lequel, par chance, tirait plus vers une infusion plutôt qu'un bouillon, de ce fait, l'incident a pu être endigué avec l'application de la bonne vieille méthode du basculement de la tranche à l'envers.

D'abord, elle ouvre la fenêtre d'un coup sec, ensuite, prise d'une envie loufoque, entreprend une danse de bras à l'instar d'un moulin à vent à destination d'une aération de la pièce la plus efficace possible.

Hélas, ses craintes ne tardent pas à se vérifier, des pas résonnent dans les escaliers de bois. En désespoir de cause, la jeune fille change de tactique et s'empare de sa couette qu'elle se met tout de suite à agiter en possédée faisant valdinguer ses vêtements enlevés à la va-vite précédemment.

— Oui, un instant ! s'affole-t-elle en entendant toquer.

Elle est prise au piège. Il n'y a strictement aucune chance que l'odeur se soit volatilisée en un laps de temps aussi court, cela tiendrait du miracle.

— Je peux ? demande la voix de son père à travers la porte de la chambre de sa fille.

Tandis que la future condamnée susurre un « oui » contrit, il pénètre à l'intérieur. Désarmée, elle ne sait que dire devant la mine interrogative de son père. Son nez plissé ne trompe personne, il a détecté le fumé suspect.

— Mais qu'est-ce que je sens ?

Elle est fichue !

— Euh… De l'encens ! Oui, c'est ça, de l'encens ! Salomé m'en a passé et j'ai voulu essayer ce soir. Mais ça sent trop fort, je trouve aussi, alors j'aère comme tu peux le constater, déblatère-t-elle rapidement, désignant la fenêtre ouverte du bras.

Pourvu que ce mensonge sorti de derrière les fagots convainque son père.

— Ne me dis pas que tu vas devenir une de ces hippies aux cheveux sales, s'il te plaît, ne nous fais pas ça, plaisante-t-il pendant qu'il agite une main devant son nez aquilin incommodé.

— Aucun risque, papounet, j'aime trop le rock pour ça ! Et votre soirée ? Comment c'était ?

Faire diversion, orienter la conversation, il n'existe pas meilleure stratégie.

— Disons agréable jusqu'au moment où ta mère a cru bon de discuter politique. S'en sont suivies des joutes verbales à n'en plus finir, je n'en pouvais plus. C'est la dernière fois que je sors avec ta mère, les soirées entre voisins, à l'avenir, c'est niet, je préfère m'épargner ce désagrément, se promet-il.

Il rit, mais Alizée le soupçonne de le penser sincèrement et ce n'est pas elle qui viendrait l'en blâmer. Un grand sujet de discorde, la politique, en particulier dans leur famille où on ne parle pas politique, on gueule politique.

— Bof, maman quoi, tu ne la changeras pas !

— C'est une bonne synthèse, soupire-t-il, et toi, chez Vincent ? Où as-tu dit qu'il habitait déjà ?

— Dans le quartier des Lilas, à l'est de la ville. Il m'a raccompagnée en voiture, précise-t-elle, interloquée, mais comment se fait-il que je te l'apprenne ?

À cette ultime question, son père lève un sourcil interrogateur.

— Non. Il t'a ramenée ici, tu dis ? Il est très bien ce garçon…

L'embarras flagrant de son père perturbe Alizée. Vincent aurait donc raison ? Oui, mais pourquoi ? Que peuvent-ils lui reprocher autre que son physique ? Lui qui a toujours été correct, aimable et attentionné envers eux quatre, cette histoire ne tourne pas rond. Vu où elle en est arrivée, elle décide de mettre les deux pieds dans le plat.

— Vincent croit que vous ne le trouviez pas assez bien pour figurer dans la liste de vos gendres, que vous pensiez qu'Alice méritait un petit ami plus sérieux, plus correct et plus… propre sur lui. C'est vraiment ce que tu penses, toi ? Oublie maman une demie seconde, ajoute-t-elle dans la foulée, agacée par la perspective de son père planqué derrière sa femme, son rempart préféré face à la franchise, j'aimerais bien avoir ton avis et uniquement ton avis.

Son père paraît se figer, en premier lieu, presque irrité par le ton autoritaire à la limite de l'insolence d'Alizée. Il est vrai que rien ne l'oblige à plier devant les exigences de sa propre fille, ce n'est pas dans l'ordre des choses.

— Pour ma part, je n'ai aucun grief à son endroit. Je l'ai toujours trouvé adorable, charmant et très prévenant vis-à-vis de ta sœur. Ta mère n'apprécie pas beaucoup son allure, elle n'apprécie guère son crâne rasé, ses piercings et ses lunettes noires. Et son tatouage, je n'en parle même pas ! Elle trouve son style inacceptable, ce sont ses mots, et je dois moi-même avouer qu'il ne passe pas inaperçu, mais ce qui m'importait, c'était l'amour immodéré qu'il nourrissait pour Alice. Il l'aimait. Rien que pour cette raison, il m'était sympathique. Je crois qu'en réalité, ta mère aurait préféré que ta sœur occupe l'intégralité de son temps à ses études et qu'elle laisse de côté les garçons en général. Elle ne veut pas que vous grandissiez trop vite ou grandissiez tout court.

Plus tard dans la soirée, encore un peu shootée par l'effet du joint, Alizée se retrouve assise, la tête dans les genoux, adossée contre la porte de sa chambre. Les paroles de son père s'entrechoquent en elle. Depuis quand sa mère joue-t-elle les mères poules ? Pas une attitude observée chez elle pourrait le laisser deviner. Serait-elle donc si bonne comédienne ? Non, il se voile la face, plutôt. L'idéaliser doit certainement l'aider à la supporter au quotidien.

Ainsi recroquevillé, son corps se relâche et la plonge pas à pas dans un demi-sommeil. Mais alors que Morphée se poste sur le seuil fin prêt à la cueillir, une porte proche claque. Et encore. Des éclats de voix perçants explosent soudain du couloir.

— J'en ai plus que marre, je pourrais te tromper devant ton nez, tu ne bougerais pas le petit doigt !

— Un ton en dessous, Alizée dort à côté. Tu te souviens de ta seconde fille ? l'interroge-t-il d'une voix tonitruante, méconnue de sadite enfant.

— Qu'est-ce que je dois comprendre ? Parce que, toi, bien sûr, tu es là pour elle ?

— Plus que toi, tu ne peux le nier.

— Ne change pas de sujet, je te parle de notre couple ! Je n'en peux plus, Antoine ! Ta passivité m'insupporte ! Mais regarde-toi, nom de dieu, on dirait un mollusque mort ! Réagis, bon sang !

Le retour de bâton ne se fait pas attendre. Un bruit sourd pouvant s'apparenter à un coup de poing vient de s'écraser dans le mur adjacent.

— ET ÇA, C'EST ASSEZ VOLCANIQUE AUX GOÛTS DE MADAME ? vocifère à son tour le présupposé aux neurones en grève.

On lui a volé son père, cet homme calme, posé, imperturbable pour l'échanger contre un teigneux prêt à montrer les crocs au besoin.

Les propos proférés par Julia quant à l'inaction ou la quiétude de son époux n'ont rien d'extravagant, cependant, venir ouvrir les bureaux des plaintes après non moins de vingt ans de mariage relève de la mauvaise foi. N'importe qui réussit à s'acclimater aux traits de caractère de chacun au cours d'une période longue de deux décennies ou peut-être les hait-on de plus en plus au fur et à mesure.

— J'ai l'impression d'être plantée en face d'un poulpe ! Tu es la mollesse incarnée, récidive sa mère, armée d'une violence similaire.

— J'ai besoin de calme pour entreprendre mon deuil. De silence. Tu peux comprendre ça ou c'est trop difficile pour toi ? Il me faut du temps pour…

Il ne finit pas sa phrase, comme étranglé.

— Oublier… C'est le mot que tu cherchais ? Tu veux oublier ta fille, hein ? Mais notre fille est morte, bel et bien morte et faire l'autruche n'y changera absolument rien, mon grand !

— Je t'interdis de dire une chose aussi ignoble ! À aucun moment, je ne souhaitais employer ce verbe, alors, ne t'amuse surtout pas à parler en mon nom. Nous sommes une famille et dans une famille il y a autant de similitudes que de différences, c'est un fait avéré et c'est cela même qui constitue notre richesse. Tu ne peux pas nous ordonner, ni à Alizée ni à moi, de faire notre deuil à ta manière. Pour une fois dans ta vie, lâche du lest, Julia ! Lâche du lest !

Un calme incertain s'installe dès lors qu'un grondement de portes final fait vibrer les murs. La voie libérée, Alizée tente une percée au-dehors et aperçoit par l'entrebâillement son père descendre les escaliers tête baissée. Une fois parvenu au rez-de-chaussée, elle se persuade enfin de s'exfiltrer en veillant toutefois à rester perchée au plus haut de la rambarde blanche. Un poste d'observation incomparable. À peine s'accroupit-elle qu'il disparaît dans le salon, mais aveuglée ou non, Alizée n'est pas dupe, elle sait très bien ce qu'il y fait. Le whisky, encore et toujours lui, devenu son calmant favori depuis cette mi-août.

Une minute plus tard, il resurgit dans le champ visuel de sa fille avec, sans surprise, un verre rempli du liquide ambré à la main dont il prend une bonne lampée avant de s'effondrer dans son fidèle fauteuil en cuir et de fondre en larmes. À cette vue, Alizée rentre en trombe dans sa chambre et là, copie conforme de son père prostré en bas sur son fauteuil, les torrents de larmes s'invitent à ses paupières. Que fait-elle dans cette maison depuis des jours à part déprimer ? Leurs journées ne sont remplies que de tristesse. Ils ne rient plus, ne partagent plus rien ensemble excepté un immense désespoir, leur envahissant compagnon, et s'ils continuent sur cette voie, le couple parental risque fort de trépasser. Un décès suivi d'un divorce ? Non, ils se doivent de relever les manches, se battre pour sauver ce qu'il reste de secourable pour contrer ainsi le tandem classique du divorce après décès d'enfant. L'inéluctable gardera sa foudre auprès de lui, il en va de leur survie à tous.

— Végétarienne ? fulmine sa mère au déjeuner du lendemain, d'où te vient encore cette nouvelle lubie ?

— Ce n'est pas une lubie, j'en ai juste marre de me mettre des œillères devant les yeux. La vie des animaux d'élevage n'est faite que de souffrance. L'exploitation animale et l'homme sont responsables de ces atrocités. Je ne veux simplement plus participer à cette horreur. Je ne veux plus cautionner cette barbarie. L'être humain est pourri de l'intérieur, il me dégoûte !

Un soupir maternel bruyant vient précéder un discourt prohibitif couru d'avance.

— Sauf que tu es mineure, ma fille et jusqu'à nouvel ordre, tu es sous la responsabilité de tes parents et en ce qui me concerne, je n'ai envie ni de faire des courses séparées ni de perdre mon temps à devoir préparer deux plats principaux au lieu d'un. Tu devras attendre ta majorité pour pouvoir faire ce qui te chante et pas avant.

L'histoire se répète, Salomé a dû, elle aussi, faire face à des objections semblables.

— Mais quand as-tu entendu que je te le demandais ? Je peux très bien me faire à manger seule, je n'ai plus cinq ans, rassure-toi ! Je suis une grande fifille et puis, ce ne sera pas la première fois, tu n'es pratiquement jamais présente au dîner, ça ne changera pas grand-chose, rétorque Alizée, excédée.

— Non, c'est non, Alizée !

Dans un élan d'espérance, Alizée se tourne vers son père qui s'est jusqu'alors tenu en retrait de cet échange.

— Papa ?

— Je ne sais pas, après tout, tu n'as que quatorze ans, ton corps n'a pas achevé sa croissance, ma puce. Exclure la viande de ton alimentation du jour au lendemain risquerait de te carencer. Je suis de l'avis de ta mère, tu devrais attendre avant de prendre cette décision lourde de conséquences.

Alizée fusille son père du regard qui, comme à son habitude, ferait n'importe quoi pour épouser l'avis de sa bien-aimée femme. La rébellion d'hier soir semble s'être éloignée à des années-lumière de là.

— Vous faites de nouveau front commun ? Première nouvelle ! Vous parlez sans savoir comme tout le monde ! Quand on s'informe comme il faut, les risques de carence sont limités. Oh et de toute manière, vous ne pouvez pas me forcer à manger de la viande contre mon gré, conclut-elle en beuglant tandis qu'elle renverse sa chaise en voulant sortir de table trop vite.

— Assez de cinéma ! Assieds-toi et finis ton assiette ! ordonne sa mère rouge de colère au moment où Alizée s'apprête déjà à gravir les escaliers s'enfermer dans sa chambre à triple tour et ne plus entendre ce ramassis de conneries.

On croit rêver, hier, ils s'entredéchiraient prêts à en venir aux mains et douze heures plus tard, ils se liguent contre elle au sujet d'une prise de conscience alimentaire. Ils se sont fait lobotomiser durant la nuit ou quoi ? Comment se fait-il que ses parents soient aussi butés ? Il n'y a qu'à comptabiliser l'impressionnante liste de scandales sanitaires qui ont éclaté ces derniers mois et qui n'iront pas en s'arrangeant, mais, encore faudrait-il pour cela s'intéresser à ces questions essentielles. Le monde ne va pas se magnifier en un jour, néanmoins, chacun se doit d'agir à l'émergence de cette évolution spirituelle exponentielle. En attendant l'échéance où l'humanité se réveillera de son long coma anthropocentriste, Alizée s'en va prendre une douche chaude, histoire de calmer ses nerfs à vif.

Seule devant le lavabo, le corps fraîchement lavé, elle plonge son regard dans le blanc de ses propres yeux et n'y voit que du vide. Un vide froid, vide de sens, vide d'espièglerie enfantine, sa grande copine jadis. Elle a la gueule fiévreuse du zombie tout droit sorti de sa tombe brumeuse, le teint blafard à la frontière du verdâtre, des cernes bleus sous les paupières et les cheveux filasse dévitalisés mal peignés. En somme, la panoplie complète du parfait dépressif. Cette pensée dessine un sourire furtif sur son visage poupin s'imaginant, malgré elle, en train de danser en saccadé, les membres désarticulés, sur le célébrissime *Thriller* de Michael Jackson.

D'un geste machinal, elle ouvre le tiroir du meuble de rangement placé sous le lavabo à la recherche de sa brosse à cheveux. Faisant chou blanc, elle se met en tête de retourner le compartiment entier pour en vider le contenu. Un foutoir sans nom y règne. L'inventaire va de pinces à cheveux multicolores aux chouchous démodés en passant par des gants de toilette douteux dont la fossilisation a déjà débuté. Là, dissimulé sous le tas de babioles en vrac, elle perçoit bientôt le scintillement de ses petits ciseaux en acier chirurgical. D'une main fébrile, elle les saisit et, sans trop y réfléchir, fait courir ses deux tranchants à plusieurs reprises sur sa peau blanche translucide. D'abord, de plus en plus vite, ensuite, de plus en plus fort à la surface de sa chair laiteuse. Flip. Flap. Un coup à droite. Un coup à gauche. Un frisson de douleur la parcourt alors qu'elle contemple sa cuisse droite striée de sa haine contre elle-même, de sa détestation contre ce bordel qu'est devenue sa vie. Elle, la faible, elle, qui ne cesse de plonger un peu plus dans la tourmente. La lame entame et tranche indifférente au ruisseau sanguin qui chute au compte-gouttes tachant le carrelage auparavant immaculé de la salle de bain.

Déroutée par ce qu'elle vient de s'infliger, Alizée descend en quatrième vitesse, se précipite au garage pour enfourcher son vélo à destination d'une cascade chère à son cœur, après avoir tout de même laissé un mot d'absence sur la table de la cuisine. À chaque coup de pédale, ça grimace. Situé à dix-sept kilomètres d'ici, l'endroit figure en bonne place dans le classement de ses lieux d'échappatoire préférés, en particulier en cette fin de septembre où les vacanciers ont déserté dans leur grande majorité.

Elle arrive à bon port en sueur, la cuisse en feu. Quelle idée de se vêtir d'un manteau de mi-saison embarquée du projet de pédaler durant une bonne heure ! Cette belle sottise. Encore haletante, elle bondit de son fier destrier métallique, qu'elle dépose à portée de vue, dans l'entreprise de longer un haut talus feuillu. Cette paix désirée la guette à mesure de ses pas affirmés. Le remous incessant, les clapotis et la brume rafraîchissante lui souhaitent également la bienvenue. Pas une once de vent à l'horizon, seul le bouillonnement régulier de la chute d'eau vient troubler la sérénité vulnérable de ce petit paradis.

La jeune fille n'a pu se résoudre à revenir en ces lieux avant aujourd'hui, ce point d'eau est trop imprégné du souvenir de sa sœur. Dès qu'elles désiraient se retrouver en tête-à-tête toutes deux handicapées de leurs états d'âme, elles se rendaient dans cette clairière isolée, laquelle s'est mue au fil du temps en quartier général de leur sororité. Elles s'y sont baignées à l'abri des regards, ont chahuté et s'y sont tellement amusées. Leurs secrets sont enfouis, engloutis par les trémolos écumeux de la cascade complice à jamais silencieuse, trop respectueuse du don passé de ces deux esprits liés par le sang.

Tout occupée à se remémorer les souvenirs communs à Alice, elle ne perçoit la sonnerie de son portable que tardivement. Le texto reçu provient de Salomé, elle y exprime son désir de la voir la rejoindre devant le squat dans une heure précise en vue d'un concert impromptu. Ravie de cet imprévu, Alizée remonte filer l'air sur son bolide non motorisé vers le sud de la ville.

À son arrivée à l'intérieur du squat, elle tombe nez à nez avec un attroupement de jeunes près du mur d'entrée, ainsi que, parmi eux, Salomé. Elles se regardent l'une l'autre, interloquées par cet engouement inexpliqué.

— Wouhoou Charlie ! hurle Salomé en identifiant la tignasse brune en pétard dépasser de la masse capillaire lycéenne.

Ni une ni deux, Charlie parvient à leur hauteur avec toute la nonchalance dont il sait faire preuve.

— Salut, les nanas ! Vous êtes grave en avance, on ne joue pas avant quarante bonnes minutes le temps de se préparer un minimum, précise-t-il le corps tourné vers une Alizée dont le cœur a décollé.

— On se faisait trop chier, mi amor. Sinon, serait-ce trop te demander de savoir pourquoi tous ces cinglés se pressent en groupe ?

— Oh ça ? Des filles ont décidé de créer une espèce de plate-forme communautaire. En gros, si t'as une info sur un groupe underground qui se produit dans le coin ou si tu connais un pote qui cherche à vendre un instru' ou veut auditionner un chanteur pour son groupe ou encore si t'entends parler de petits jobs qui pourraient intéresser quelqu'un ici et ben, tu le placardes sur ce panneau. Par contre, il n'y a personne pour filtrer les annonces, donc bon, il y aura sûrement de mauvaises surprises dans le lot. Il y a aussi pas mal de publis pour des baby-sittings, ce genre de conneries. Si t'es intéressée…

— Bordel, mais t'es sérieux ? Je préfère encore me prostituer plutôt que d'être obligée de garder des gosses, moi ! Alors, fais-moi plaisir, oublie-moi, okay ?

La réaction de Salomé aussi inattendue que disproportionnée fait partir Charlie et Alizée, pourtant si réservée dès que le guitariste fait son apparition quelque part, dans un fou rire magistral.

— Hey on ne t'en demandait pas tant, tu sais, s'esclaffe Charlie sans lâcher Alizée du regard, et toi, rouquine, ça te tenterait ou tu préfères danser nue sur un âne sous une pluie diluvienne avec des antennes de fer collées au sommet du crâne plutôt que de t'occuper de mômes ?

— Euh franchement, je risque de ne pas faire l'affaire, je n'ai aucune expérience dans ce domaine, bredouille-t-elle en rougissant comme une pivoine.

La couleur que prennent ses joues dans ces moments d'embarras intenses est aussi discrète qu'un poireau sur le menton d'une vieille sexagénaire.

— Bof pas sûr que ça dérange. Je crois que ce n'est pas précisé sur l'annonce, si tu veux je me renseignerai.

— Okay, d'accord, merci, murmure-t-elle dans un souffle.

Si elle s'écoutait, elle se foutrait une bonne paire de gifles tant elle se désespère. Primo, les gosses l'ont toujours gavée aussi loin qu'elle se souvienne, deuzio, son comportement de groupie au flirt du retard mental la met hors d'elle. Sa bêtise la gratifierait de figurer en bonne place dans le livre des records à la rubrique du maximum de points de coefficient intellectuel perdus lors d'un échange verbal. Elle ne lui en voudra pas s'il la prend pour une petite suiveuse coincée décérébrée avide de piments sociaux, transfusée aux nouvelles fréquentations, ces généreux donneurs, car c'est sans doute cette image qu'elle doit renvoyer de l'extérieur.

Lorsque Alizée fait son entrée en solo dans le pseudo salon aux quatre canapés bouffés par les mites, Salomé restée à l'arrière saluer une ex, une brune vêtue d'une micro-jupe, et Charlie, lui, reparti à l'assaut des membres de son groupe, l'intégralité des jeunes présents, excepté une jeune fille filiforme, sont assis en ronde autour d'un tapis rapiécé au cœur de la pièce. Le groupe en question joue à ce jeu de cartes exaspérant où l'on doit frapper du poing le plus vite possible au passage d'une carte spécifique. À dire vrai, Alizée n'a jamais rien capté aux règles et ce n'est pas cet après-midi qu'elle cherchera à améliorer ses connaissances en la matière.

L'option du retrait privilégié, elle les contourne avec prudence jusqu'à rejoindre cette fille pour le moins distraite avec son gobelet rouge à la main.

— Il est bon ce cocktail ? demande Alizée sans se présenter.

Prise au dépourvu, la fille élancée au teint translucide manque de renverser le contenu alcoolisé de son verre sur son tee-shirt.

— Ah, oui, oui ! Zut, tu m'as surprise ! Il est excellent même ! Tu en veux un peut-être ?

— Avec plaisir.

— Moi, c'est Ava.

— Alizée.

Et un autre verre de versé.

— Tu es nouvelle, toi, je suis physionomiste et ton visage ne me rappelle rien. Tu es venue avec quelqu'un ?

— Je suis venue avec Salomé, je l'ai rencontrée il y a trois semaines à peine. Elle m'a présentée aussi à Charlie.

— Quelle go ne le connaît pas ? expire celle-ci, un regard lancé par en dessous, le nez en plongée dans son verre cartonné.

90

Alizée ne saurait comment interpréter cette phrase. Pendant optimiste : Ava sous-entend qu'il ne laisse aucune fille insensible. Un fait avéré. Pendant pessimiste : elle met l'accent sur sa réputation de coureur. L'optimisme vaincra et il vainc.

Tout en poursuivant leur conversation, Alizée ne peut s'empêcher d'envier la silhouette d'une finesse extrême de cette fille.

— Pilules coupe-faim, c'est mon secret, balance-t-elle le plus naturellement du monde entre deux insistantes œillades verticales de son interlocutrice sur son corps, je t'en donnerai tout à l'heure après ce verre si ça te branche. J'en ai toujours avec moi, elles sont dans une poche de mon manteau.

— Des coupe-faim, vraiment ?

— C'est inoffensif, j'en prends depuis des années et je n'ai jamais eu d'emmerdes physiques avec. Je fais de la gym à un haut niveau, je me dois de garder la ligne. Mais essaie, tu m'en donneras des nouvelles ! Tu verras, bientôt, tu ne pourras plus t'en passer. Ce sont des pilules magiques !

L'information une fois prédigérée, Alizée se surprend à scruter l'assistance de peur que traînent des oreilles indiscrètes, le bilan établi l'apaise, la focalisation portée sur leur jeu pourri est aussi intense qu'il y a une pincée de minutes. Le sourire amusé affiché par Ava, à l'instant où Alizée détourne son regard pour revenir à son origine, ne laisse pas d'espace au doute quant à la perception de son malaise par son interlocutrice.

— Ils sont super efficaces ! Quatre kilos en moins, en cinq semaines, je dirais, persiste la gymnaste en tournant sur elle-même, après, c'est toi qui vois, je ne te force à rien. Si ça ne t'intéresse pas, on n'en parle plus.

La perspective de prendre des cachets simplement en vue de maigrir gène déjà assez Alizée, alors, si Ava en rajoute une couche en se moquant d'elle, le peu de confiance qu'elle se trimballe risque fort de s'évanouir.

Avant la mort de sa sœur, seule sa volonté comptait. Elle voulait quelque chose ? Sa détermination s'en chargeait, elle répondait instantanément à l'appel. Aujourd'hui, force est de constater qu'elle l'a lâchée au décès d'Alice.

Consciente de l'hésitation d'Alizée, Ava s'empresse d'aller sortir les fameuses pilules miracles de leur cachette et les lui mettre entre les mains.

— Tu me remercieras bien assez tôt, je te l'assure, fait-elle prête à prendre assise dans le cercle de joueurs, l'abandonnant solitaire face à son dilemme.

De retour dans la pièce principale, elle bifurque à droite et prend les escaliers en bois qui mènent au sous-sol. *The Black Deal* a commencé à jouer sur scène. Le son a été poussé à fond afin de faire profiter à un maximum de monde de cette musique punk, cocktail électrique rageur pris en pleine poire. Le contraste entre la réalité et la virtualité des vidéos internet qu'elle a visionnées ces dernières semaines la saisit. Elle aime cette énergie violente et ces paroles hurlées sur fond d'accords rugueux anarchiques.

Devant l'estrade, une petite trentaine d'ados cloutés survitaminés se bousculent violemment tandis qu'ils bondissent en tempo, semblables à des petits diables montés sur ressorts. Les auto-tamponneuses humaines électrisent tout de suite la jeune fille. On lui expliquera bien après qu'elle venait d'assister à une séance de Pogo, une activité très prisée des punks téméraires en goguette. Portée par l'ambiance, Alizée se met elle aussi à sauter à pieds joints et rigole en imaginant ce qu'une personne extérieure qui arriverait à point nommé penserait de cette scène. Sûrement n'y verrait-elle qu'une peuplade de marsupiaux sous amphét', quel esprit lui en tiendrait rigueur ? Pourtant, ce serait commettre une grave erreur, car ils ne peuvent être réduits à ce simple état. Ils partagent là, agglutinés ensemble, un moment de joie léger.

Plus tard après le mini-concert et surtout après avoir applaudi son fantasme inhumain aussi fort que nécessaire, Alizée rallie Salomé dont les courbes s'adonnent en solo à une danse des plus lascives.

— Viens danser avec moi, bichette !

— T'es folle, je ne danse pas avec les Rémy ! J'ai besoin d'être entourée par une foule pour être plus à l'aise…

La gorge asséchée de ces égosillements, Alizée va se servir un verre de coca light au bar de fortune en libre-service quand, tout à coup, son attention est attirée par deux voix masculines qui s'envoient des amabilités à la figure. Elle relève la tête, curieuse. Les coupables : Charlie en compagnie d'un autre type inconnu au bataillon, un petit roux carotte coiffé d'un bonnet à grosses mailles, rondouillard, boudiné dans un ensemble psyché vert à l'esthétique douteux.

— Putain, tu me sors encore un « man » de plus et je te fais bouffer ton bonnet. Tu fais chier, sérieux, tu te prends pour un rasta alors que t'es blanc comme un cul… La weed t'a bien niqué le cerveau, mon *frèèère*… Pitié !

— Pire, t'as pas idée ! Mais faut se calmer, relaxe-toi Chacha, je fais rien de mal, man, sors le camé totalement inconscient de sa nouvelle bourde.

— Oh, bordel de merde, je vais t'étrangler ! Ne m'appelle plus jamais Chacha, couillon, je ne supporte pas ce surnom débile !

Au vu des yeux exorbités associés au rictus évocateur venant déformer la bouche de Charlie, il en faudrait peu, en effet, pour qu'il ne craque et ne mette pas sa menace à exécution. Plutôt nerveux, le Charlie, elle ne le voyait pas vraiment ainsi. Allez, assez ri de la situation, le gong du départ a retenti. Son vélo l'attend sage comme une image, lui, enchaîné à un arbre. Il est encore tôt, mais autant assurer ses arrières, ne pas jouer avec le feu, elle a traîné son lot de disputes. Et comme dirait le bon vieil adage, les bonnes choses ont une fin.

L'éventualité de rester le week-end entier loin de ses parents enchante Alizée plus que de raison et elle le doit à l'invitation salvatrice de Salomé chez elle. Au programme selon les directives de son hôte : écouter de la musique rock et regarder l'intégrale de *Buffy contre les vampires* le gosier fourré de douceurs sucrées style pop-corn ou guimauve. Une fin de semaine parfaite d'oisiveté adolescente.

À la constatation des innombrables places vides au front du domicile d'Alizée, il est étrange que Salomé ait choisi de garer son scooter, une rue plus loin et sans explication supplémentaire, cette dernière fait volte-face drapée de sa grâce habituelle incitant dans le même temps Alizée à la suivre. Elle est plus belle que jamais dans sa robe ethnique rouge au-dessus du genou, sublimée par ses longues dreads blondes dont la légère brise matinale imprime le rythme.

Au tournant de la rue, Alizée aperçoit un jeune homme élancé aux cheveux rasés bien connu sortir de l'intérieur d'un van bleu indigo décoré à la mode hippie à quelques mètres d'elle.

— Mais qu'est-ce que fout Vincent ici ? s'étonne-t-elle.

— TADAAAAA, s'exclame Salomé en sautant sur place les bras écartés, je ne voulais pas t'obliger à mentir à tes parents, alors j'ai préféré inventer cette invitation chez moi. Tu m'en veux pas, dis ?

A priori, elles ne vont plus user à la pépère ces deux prochains jours avec Buffy, Angel et leurs potes contrairement à ce qu'a imaginé Alizée.

— Penses-tu, rétorque celle-ci, un peu dubitative. Et du coup, c'est quoi le menu des réjouissances ? Parce que j'ai rien prévu, moi, question fringues de rechange, sac de couchage et j'en passe. Nada !

— Pas de problème, ne te préoccupe de rien, on a tout prévu !

Salomé, surexcitée, se précipite sur Vincent et lui saute littéralement au cou. N'ayant pu anticiper cet élan d'affection soudain, l'attaqué manque de se rétamer le cul sur le bitume.

— On se calme, la furieuse, s'esclaffe-t-il alors qu'il se masse le dos débarrassé de la pile électrique déposée au préalable au sol.

Tout sauf calmée, la voilà maintenant qui tambourine à la vitre de la portière arrière tant qu'elle peut.

— On est au complet, les mecs !

Les mecs ? Mais combien sont-ils là-dedans ? Elle qui n'a jamais été friande de devinettes, Alizée est servie.

— Salut gamine ! Prête pour l'aventure ? s'enquière Vincent à son adresse.

— Carrément, mais je ne savais pas que tu connaissais Salomé.

— C'est une longue histoire… Pour faire court, on s'est rencontrés lors d'un tournoi d'échecs organisé par la région. J'accompagnais mon père, elle, un ami et de fil en aiguille, on a fini par sympathiser.

— Je vois… Le monde est petit ! Bon, et sinon, vous comptez m'amener où comme ça ?

Malgré ses fidèles lunettes noires opaques, Alizée perçoit nettement la stupéfaction de son quasi-beau-frère.

— Adulte responsable appelle ado inconsciente ! s'égosille-t-il, les binocles fixés sur l'imposant véhicule.

Dans la seconde suivante, la frimousse de Salomé jaillit du toit ouvrant.

— Oui, on me demande ? minaude l'incriminée, une mèche de ses cheveux dans la bouche.

— Ouais, je croyais que tu plaisantais tout à l'heure quand tu disais que tu n'avais pas informé Alizée de notre virée de ce week-end ! T'abuses sérieusement !

— Ah, et bien, non, c'était la vérité, c'était plus simple avec ses parents, tu comprends… Qu'est-ce qu'on aurait fait s'ils avaient refusé de l'autoriser à venir avec nous ? Je ne voulais pas courir ce risque, explique-t-elle rapidement.

Et la voilà qui disparaît une nouvelle fois à l'intérieur du bolide sorti tout droit des seventies.

— Connaissant ta mère, Salomé n'a pas tort… Mais tout de même, je n'aime pas cette configuration, je suis le plus âgé d'entre vous tous, ce qui fait de moi votre responsable, fait-il, une main nerveuse en haut de son crâne.

Alizée soupire.

— Notre responsable ? T'en fais pas un peu trop ?

— Non, du tout, parce que, ma petite, s'il devait par malheur y avoir un souci, c'est sur moi que la sanction tomberait et la punition engendrée serait légitime. Par conséquent, rabat-joie ou non, je prends ce rôle de grand frère à cœur. Autant s'y faire tout de suite, gamine !

À tout prendre, aussi dingue soit-il, le stratagème de Salomé lui facilite la tâche. La corvée mensongère est à mettre aux oubliettes ! Libre à elle désormais de considérer ce nouvel événement comme une opportunité d'évasion mentale offerte sur un plateau ou comme un stress supplémentaire. Il ne tient qu'à elle de ne pas rebrousser chemin par excès de crainte maladive débilitante.

— Allez, tout le monde en voiture, décrète Vincent une fois la portière côté passager ouverte par ses soins.

— Salut la compagnie, lance-t-elle machinalement lors de son entrée dans le véhicule, mais sa voix s'étrangle lorsqu'elle découvre, assis à l'arrière, Charlie qui la scrute de ses grands yeux bleu électrique.

— On a failli attendre, t'es pas une pressée de la life.

Cette remarque désobligeante sort d'une autre bouche que celle du Charlie en question, mais de celle d'un mec blond aux cheveux bouclés, le bassiste du groupe, posté à l'extrémité de son guitariste de copain, plus enclin à taper nerveusement du pied contre le revêtement de sa portière.

— Relaxe-toi, Félix, tu veux des croquettes, ça te détendra ? plaisante Charlie.

La référence à la marque alimentaire féline fait rire aux éclats l'intégralité des occupants du van, excepté Catman qui réplique à cet affront par un splendide doigt d'honneur réfractaire à l'humour.

— Ça promet encore une sortie placée sous le signe de l'amour de son prochain, je m'en réjouis d'avance, déplore Vincent qui s'apprête à introduire sa clef dans le contact, prêt au démarrage, j'ose espérer que tout le monde a attaché sa ceinture parce que c'est parti !

96

— OUIIIII ! scandent joyeusement en chœur les quatre autres passagers.

— Dans ce cas…

Bornée, l'anxieuse Alizée se décide à réitérer sa tentative de recueil d'informations. Le grabuge engendré par les énergumènes à l'arrière représentera une occasion discrète à saisir.

— On va camper en montagne, la renseigne Vincent.

— Camper, vraiment ? répète l'adolescente, incrédule.

Devant son air hébété, Vincent ne peut se retenir de pouffer tendrement.

— Ce n'est pas trop ton truc, c'est ça ? Salomé aurait tout de même dû t'informer en premier lieu, cela aurait été la moindre des choses. Cette fille est incorrigible.

Il peste devant son volant aussi bien à cause de la faute de Salomé que de l'imprudence d'un automobiliste totalement déglingué du scalp.

— Ce n'est pas grave, c'est juste que je n'ai jamais campé de ma vie, mais je veux bien tenter l'expérience, fait-elle, sincère.

Vincent accueille cette réponse avec une joie non dissimulée.

— Tant mieux, surtout que je n'avais pas spécialement envie de faire demi-tour à mi-chemin, admet-il, on va bien s'amuser, je te le promets.

La suite du trajet se déroule sans encombre. Une fois sortis de la ville, aucun autre chauffard ne viendra titiller les nerfs de ce grand type au crâne rasé et lunettes noires. La route cabossée monte et zigzague au gré du relief montagneux entraînant dans sa suite les haut-le-cœur de la fragile passagère de l'avant. Puis, à la suite de bons gros virages, le van opère enfin une manœuvre, sort de la route principale et vient se faufiler dans un chemin plus sauvage et caillouteux au grand damne d'Alizée. À la fin de celui-ci, Vincent se retrouve contraint de s'arrêter, stoppé par une large barrière en bois.

— Les enfants, tout le monde descend, on est arrivés, annonce-t-il à la bande.

En deux-trois mouvements, chacun se voit chargé d'un sac de randonnée pour les garçons et de sacs à dos moins lourds pour les filles. Le soleil est au rendez-vous, un soulagement pour eux, ils n'auront pas à craindre de subir les caprices d'un ciel pré-automnal. Il fait un temps splendide en cette fin de septembre et bien qu'il ne soit que onze heures du matin, les rayons solaires encore fringants les réchauffent déjà. Du haut de sa divine beauté, l'astre de feu sublime les couleurs rougissantes et rougeoyantes par milliers des arbres fruitiers de ses chauds faisceaux lumineux. Alizée se délecte de l'odeur épicée des conifères mêlée à celle de l'humus humide encore gorgé de rosée matinale. Tout irait à merveille si un ennui de taille se gardait d'assombrir ce beau tableau. De prime abord, sa tenue n'offre pas d'obstacle singulier, mais les *choses* se corsent à la racine. Ses pieds. Ou plus exactement ses chaussures. Elle n'est chaussée que d'une banale paire de Doc Martens craquelée qu'elle traîne depuis des lustres. Deux questions se posent : s'adapteront-elles et surtout survivront-elles à ce crapahutage montagnard en règle ? L'avenir lui répondra.

Comme redouté, ses pieds ne tiendront pas le choc longtemps. Une heure et demie de marche seulement suffira à la faire grimacer et regretter ce choix involontaire. Ses panards lâcheurs en chefs ajoutés au stress dévorant de savoir Charlie à une poignée de mètres d'elle ne contribuent en rien à minimiser les battements frénétiques de son cœur guimauvisé depuis peu. Au contraire, en pure VRP des paranos dont elle fait partie intégrante, Alizée supporte très mal d'évoluer avec une présence humaine dans son dos.

— Bon sang, boule de billard, on s'arrête quand pour grailler ? J'ai juste grave la dalle, j'ai pas bouffé depuis le petit-déj', j'en peux plus, râle Félix à l'arrière, une énième pente abrupte dans les pattes.

— Je t'en prie, fais preuve d'un minimum de patience, il y a un magnifique spot un peu plus loin.

— Plus loin, c'est à dire ?

— Au pifomètre, je l'estimerais à cinq kilomètres environ.

— Cinq kilomètres, j'espère que tu plaisantes ? Je sens que je suis à deux doigts de l'hypoglycémie, exagère-t-il, son avant-bras en soutien crânien comme s'il allait défaillir d'une seconde à l'autre.

— On y sera mieux, on aura la vue et le calme, assure Vincent, imperturbable devant son cinéma, tu n'es pas diabétique ?

— Non.

— Parfait, tu vas survivre alors ! Il y a des barres de céréales dans le sac que tu portes, sers-toi.

Des grommellements s'en suivent, manifestation d'une mauvaise volonté assumée.

— Tant que j'y pense, j'ai appelé la meilleure amie d'Alice, Camille, balance la jeune rousse de but en blanc quand Vincent la rattrape, j'ai oublié de t'en parler la dernière fois.

Immédiatement, Vincent tique à l'écoute de cette réplique, laquelle stoppe net son ascension.

— Ah… Bien ! As-tu obtenu les réponses à tes questions ?

— Pas vraiment, j'ai été confrontée à un mur hermétique. Je m'interroge beaucoup à propos du déroulement de cette soirée du 17 août, j'ai besoin de savoir exactement ce qui s'est passé, sinon, je n'arriverais jamais à aller de l'avant, je crois, avoue Alizée qui s'est également arrêtée à sa hauteur, laissant leurs compagnons de marche allègrement les dépasser.

— Je comprends, même si je ne partage pas ton sentiment… et qu'est-ce qu'elle t'a donnée ?

— Pas grand-chose, mais j'ai eu l'impression qu'elle me cachait quelque chose d'important.

— Ou alors, elle était simplement gênée de devoir parler de tout ça, qui plus est, avec toi, sa petite sœur ou elle avait également peut-être peur de te donner l'impression de se justifier. C'est chez elle qu'avait lieu la fête, elle a dû se sentir prise à partie, suggère Vincent, une main rassurante posée sur son épaule, y as-tu pensé, Lili ?

Alizée tressaille à son contact.

— Tu as probablement raison, mais du coup, je n'étais pas plus avancée quand elle m'a raccrochée au pif comme une malpropre… Je ne comptais pas l'accuser, c'est sa réaction qui m'a énervée. Elle s'est contentée de se braquer et m'a rembarrée. Toi, tu as essayé d'en savoir plus de ton côté ?

— Pour toi, oui. Rien de très concluant non plus, un peu comme toi. Personne n'a l'air d'avoir fait trop attention et c'est souvent le cas lors de fêtes trop arrosées, hélas. Ils avaient tous plus ou moins bu et l'attention est altérée dans un contexte comme celui-là. Personne n'est responsable.

Ces derniers mots résonnent en elle avec force. Comment arrive-t-il à leur trouver des circonstances atténuantes alors que leur négligence lui a fait perdre la femme de sa vie ?

— Je t'admire... Tu réagis comme si tu n'en voulais à personne, moi, je les hais tous autant qu'ils sont. Ces abrutis auraient dû réagir, ils auraient dû s'interposer, lui confisquer ses clefs, la ramener de force à l'intérieur... Au lieu de quoi, ils n'ont rien fait pour l'en empêcher. J'espère que tous ces connards ont sa mort sur la conscience, c'est tout le bien que je leur souhaite à ces sales cons égoïstes, s'emporte, tout à coup, Alizée.

— Ta peine t'aveugle, tu parles sous le coup de la colère. Tu ne penses pas ce que tu dis, la reprend Vincent avec sa maîtrise habituelle.

— Bien sûr que si ! Ce sont des débiles irresponsables !

— Cette nuit les a aussi remués. Je les soupçonne de ne pas s'en être tirés indemnes. Quand certains préfèrent occulter plutôt que d'affronter le mal en face, d'autres cauchemardent durant leur sommeil. Je l'ai compris en parlant avec plusieurs d'entre eux.

— Mais oui, tu as raison, continue, trouve-leur des excuses ! Ils ne dormiraient pas de la nuit ? La blague !

— Ce n'est pas ce que je tente de faire, Alizée. Je souhaite simplement être mesuré dans mes propos. Leur faire porter le chapeau ne nous ramènera pas Alice. Arrête de chercher des coupables à tout prix, il n'y en a pas. Alice avait trop bu, elle n'aurait jamais dû prendre la route avec cet alcool dans le sang ! C'est tout ce qu'il y a à savoir ! Tu n'es pas seule à souffrir...

— Je t'interdis...

Aussitôt cette phrase avortée lâchée, le top départ d'une course effrénée chargée de larmes est donné avec pour ligne d'arrivée les trois marcheurs de devant. Alizée supporterait tout sauf une querelle entre Vincent et elle. Tout, mais pas la poursuite d'une conversation qui risque d'exploser.

Elle restera muette, indifférente aux œillades intriguées de Charlie, le temps d'atteindre le poste d'observation promis par le grand type au sweat-shirt rouge vif. La beauté louée en préambule s'avère nettement plus qu'une illusion. Aucun mot au monde ne conviendrait à la description du spectacle féerique venu éblouir de part et d'autre les mirettes ébahies de ces cinq randonneurs improvisés. La vue ressemble à s'y méprendre aux décors naturels de films fantastiques sauf que la première majestueuse dans sa réalité leur tendait les bras. Combattre le réel est un duel perdu d'avance. Un monde sépare la contemplation d'un paysage montagneux sur un écran plus ou moins grand d'un relief vivant pris en pleine figure. Non, une toile ne peut décemment pas rendre justice à une telle magnificence capable de nous réduire à l'échelle de vulgaires fourmis ivres d'altitude.

— Merde alors, je t'en donne ma parole, plus jamais je ne douterai de toi, grand chauve, c'est vraiment splendide, murmure Charlie comme si s'exprimer à voix haute troublerait la surnaturelle quiétude.

— P'tit con, rétorque Vincent sur un ton identique.

Requinquée par leurs casse-croûtes sur fond sonore de mélodieux gazouillis d'oiseaux, la bande se remet en route sans trop se presser avec comme point d'attache le lac en contrebas. Les décors se succèdent sans jamais les lasser quand, soudain, un flash vient percer un ciel à présent parsemé de nuages compacts.

— Je crois bien que je viens d'apercevoir un éclair, sautille Alizée, l'index tendu en provenance des cumulus en amas.

— N'importe quoi... Le ciel est gris, rien de plus, siffle l'autre à bouclettes, regarde-moi ses nuages, ils te paraissent menaçants à toi ? Elle serait binoclarde, la rousse, que ça ne m'étonnerait pas...

Les quatre autres grimpeurs du dimanche restent un instant incrédules face à l'agressivité inexpliquée de Félix. C'est sans compter une Salomé dévouée, sourcils et doigt accusateurs, qui sera prompte à rompre le malaise :

— C'est quoi ton problème ? C'est vraiment indispensable de lui sauter dessus comme un dératé, c'est une manie chez toi ou quoi ? Espèce de frustré ! Si t'as envie d'aller frapper sur quelque chose, prends un arbre et si tu pouvais te la fermer par la même occas', ça nous ferait des vacances ! Parce que personne ne te retient, si tu comptes gueuler comme un putois jusqu'à demain, dégage ou alors c'est moi qui me dévouerai !

Dans la soirée, Salomé parlera à Alizée de la réputation sulfureuse de Félix, celui-ci est connu dans la ville pour avoir martyrisé de pauvres sixièmes lorsque lui-même séjournait en touriste au collège. Passé au lycée, il a poursuivi ses méfaits en tabassant des adolescents au hasard, ce qui finira de convaincre Alizée de sa connerie manifeste, reine maîtresse de la boîte crânienne de cet individu mâle.

— Personne ne partira d'ici, on est arrivé à cinq, on repartira à cinq. Je ne veux pas être coupable d'une disparition ou pire encore. Que chacun mette un peu d'eau dans son vin et se calme. C'est compris ? intervient Vincent en prenant garde de les écarter l'un de l'autre au cas plausible où un coup partirait.

— Mouais, d'accord, finit par consentir Salomé, à condition que ce gros naze arrête d'aboyer sur tout ce qui bouge et qu'il cesse d'être aussi demeuré.

— Bien, commence Vincent, à demi satisfait, mais je crois ne pas t'avoir entendu, Félix, il me semble ?

Vincent ne recevra qu'un grognement désagréable assimilable à un « oui » mâchouillé et digéré quinze fois de la part de l'incriminé. Entre bougonner dans son coin et essayer de se montrer un tant soit peu raisonnable, son cœur a penché du côté obscur de la force.

Alizée déplore sa propre incapacité à ne pas être aussi spontanée que l'est Salomé. Elle aurait adoré se défendre elle-même afin d'éviter de passer pour une petite chose fragile aux yeux de ses camarades de camping. Mieux, elle aurait pu l'envoyer bouler, elle aussi, mais ce minable n'en vaut pas la peine, cela n'aurait servi qu'à l'exciter. « Je ne parle pas aux cons, ça les instruit », comme dirait sa déjantée de tante.

Elle ne tardera pas à prendre sa revanche sur Félix avec l'aide de Dame Nature en personne qui laissera éclater un coup de tonnerre magistral en plein ciel dont chacun profitera, même le râleur de service. Dans sa bonté d'âme, Alizée se contentera d'un petit « et ça, c'était un pet de licorne peut-être ? » sous les approbations appuyées de Salomé et de Vincent. Charlie, quant à lui, recevra sa saillie avec un certain amusement en ne manquant pas de gratifier son acolyte d'une claque sonore dans le dos. Charlie a l'air intelligent, attentionné et drôle alors, que lui prend-il de fréquenter un type comme Félix, gamin et agressif ? Que peut-il bien lui trouver ?

Il faudra une poignée d'heures pour que la bonne humeur générale rattrape les cafouillages ombrageux de l'après-midi. Le ciel resplendissant se teindra d'un renversant dégradé de rose sur lequel se répandra le corps mobile des arbres. Grenat, mauve, magenta se mêleront en pure création artistique d'une splendeur à en couper le souffle. Alizée adore cette période de l'année qu'on se plaît à nommer été indien avec ces couleurs automnales sur fond de moiteur estivale auxquelles s'unit l'air embaumé de cette sève odorante de pins sucrée omniprésente.

Ragaillardis d'une baignade dans le lac (les entailles trop fraîches sur ses cuisses contraindront Alizée à se contenter d'un trempage de pieds) et d'une boîte de cassoulet engloutie pour le dîner (macédoine et tofu fumé pour les filles), tous se mettent d'accord pour la première fois en huit heures à propos de l'emplacement de leur campement. Ils s'installeront sur les hauteurs du lac, au maximum éloignés des moustiques collants de l'arrière-saison, attirés par l'eau bienveillante de cette source étale, enfin, sur les coups de vingt et une heures, la troupe se couchera, tout éreintée de leur aventure pédestre.

La nuit clémente au dehors contraste avec les songes tourmentés d'Alizée rythmés de réveils intempestifs en cascade dont elle se fait maltraiter. Incapable de se rendormir, elle pense sortir à l'air libre vêtue uniquement de son long tee-shirt Bleu *Wonder Woman*. Et c'est ainsi qu'à deux heures et des poussières, la jeune insomniaque tente de tirer sur la fermeture éclair de la porte de sa tente double, partagée avec sa fidèle amie, précautionneuse au possible de crainte d'arracher cette dernière des bras cajoleurs de Morphée. Chanceuse qu'elle est.

Les uns dorment, un autre ronfle. Une marche lui oxygénera les neurones. Petite, la marche. Cinq à dix minutes feront l'affaire. Mais à force de s'orienter à l'aveuglette, Alizée se retrouve bientôt au bord d'un ravin. Que fait-il là ? Dans son souvenir, il n'y en avait pas près de leur campement à son coucher. Elle devrait reculer pourtant ses jambes l'en l'empêchent comme soudées au sol. Il fait nuit noire, elle ne voit pas plus loin que le bout de son nez dans ce gros trou. Dire qu'il suffirait d'un pas, d'un unique minuscule pas, rien de plus pour faire le grand plongeon et en finir avec tout ce qui la ruine.

La bouche ténébreuse infinie continue son travail hypnotique encore un moment quand, tout à coup, Alizée sent une force irrépressible l'attirer sans ménagement en arrière pour finir par la propulser dans la seconde suivante plaquée sur l'herbe fraîche.

— Ça va pas la tête ? Tu comptais faire quoi là ?

Alizée, déboussolée, découvre un Charlie au-dessus d'elle, totalement effrayé. Que lui est-il passé par la tête ? C'est à lui qu'il faut poser la question. Il semble être persuadé qu'elle allait sauter, mais qu'en est-il vraiment ? Qu'aurait-elle fait s'il n'était pas intervenu ? Alizée en reste convaincue, elle n'aurait rien entrepris de tel, la vie l'aurait sauvée d'un acte meurtrier. Si elle doit se suicider, elle refuse de se rater. Tout, elle accepterait tout sauf le fauteuil roulant, elle ne le supporterait pas. La pratique régulière de la danse domine son rapport au corps, elle ne peut lutter contre.

— Mais rien, je me suis égarée ! Qu'est-ce que tu crois ? Que je suis assez désespérée pour sauter, c'est ça ? Merci, j'apprécie, s'offusque Alizée tandis qu'elle ignore la main tendue par Charlie pour la relever.

— Tu m'avoueras qu'il y avait de quoi s'interroger ! Je t'ai vue là à cinq centimètres du bord, alors je n'ai pas réfléchi plus longtemps, j'ai préféré agir. Point à la ligne, se justifie Charlie, encore essoufflé, pendant que Alizée s'évertue à se débarrasser des brins d'herbe collés à son derrière.

Soucieux de l'éloigner le plus possible de l'endroit fatal, Charlie l'incite à le suivre jusqu'à une petite plaine isolée où le ciel dégagé laisse s'exprimer en liberté les milliers d'étoiles qui le constellent.

— J'ai du mal à croire que tu ne souhaitais pas sauter, insiste-t-il.

— Quoi, mais non… Je regardais l'étendue du paysage, je n'ai pas fait attention que j'étais si près du bord, je te le promets. Même mes pieds, je ne les voyais pas.

— Ah finalement, tu parles, je commençais à perdre espoir, admet Charlie avant de s'enfoncer seul davantage dans la clairière pour ensuite venir s'asseoir à même sur l'herbe. Regarde un peu ce spectacle, les étoiles sont vraiment sublimes ce soir, elles paraissent plus lumineuses que jamais.

Charlie se retourne vers elle, son sourire en coin retrouvé et l'invite d'un bref signe de la tête à le rejoindre à ses côtés.

— Oui, très, reprend Alizée, les joues en feu, comment se fait-il que tu sois debout ? Tu n'arrivais pas à dormir ? Tu es insomniaque ?

— Plus ou moins, j'ai toujours un mal fou à m'endormir. Je cogite trop.

— J'en connais plusieurs à qui ça ne doit pas arriver très souvent. Ton pote, par exemple, ajoute-t-elle avec une pointe de dédain.

Le guitariste se redresse, un sourire malicieux accroché aux lèvres.

— Tu parles de Félix ? Il n'est pas méchant, tu sais, il y a beaucoup de frime là-dedans. Après, j'avoue qu'il se trimballe une réputation qu'il n'a pas usurpée. Il faut le connaître pour l'apprécier et si tu t'arrêtes à des jugements hâtifs, tu louperas souvent de belles rencontres.

— Arrête, c'est un con fini ! Il ne faut pas chercher plus loin ! C'est physique, il ne me revient pas et il ne fait rien pour me faire changer d'avis. Pire, on dirait qu'il pousse le vice au maximum !

— Tu m'as l'air du genre catégorique, toi, conclut-il en pouffant, mais je le répète, tu ne devrais pas juger quelqu'un avant de le connaître…

— Si tu l'dis… J'ai des yeux pour voir, c'est tout. Je n'y peux rien si j'apporte plus d'importance aux actes qu'aux paroles. J'estime que j'en sais déjà assez à son sujet.

Amusé par sa flagrante intransigeance, Charlie rit tout en se passant la main dans sa chevelure indisciplinée.

— Je tenterai de te convaincre du contraire, mais avant, on ferait mieux d'aller se pieuter si on veut arriver à se réveiller demain matin. Ça risque de piquer, je te parie ce que tu veux que la boule de billard est du genre hyper matinal !

Alizée qui pourtant n'éprouve aucune sensation de fatigue s'exécute et se lève prête à rejoindre sa tente.

— N'hésite pas à me faire signe quand tes pulsions suicidaires t'auront quittée, lui recommande-t-il.

Et c'est en silence qu'ils rebrousseront chemin et se quitteront pour reprendre leurs cycles respectifs de rechargement de batterie vitale.

Le lendemain matin, ni l'un ni l'autre ne reviendra sur l'incident de la veille, à l'immense satisfaction d'Alizée qui a redouté de devoir une nouvelle fois chercher une explication valable aux événements perturbants de la nuit précédente.

Mais alors que les cinq compagnons, installés au calme, se préparent à remplir leur estomac ensemble une ultime fois avant le grand départ, Félix se met à agiter, on ne sait pourquoi, devant le nez de Salomé, un morceau de saucisson qu'il vient de sortir de son sandwich.

— Hmmm, ne me dis pas que ça ne te fait pas envie ? Du bon saucisson, la rosette de Lyon, un bon steak ! Putain, faut que j'arrête, je salive grave !

— Si tu pouvais t'étouffer avec, tu me rendrais un fier service, crevard, lui balance Salomé tandis qu'elle se résout à lui tourner le dos pour supprimer l'image de cet abruti fini de sa rétine.

— Moi, j'ai entendu dire que les filles qui ne mangeaient pas de viande étaient carencées en vitamine B « je sais plus quoi » et que pour contrebalancer l'affaire, elles devaient tailler des pipes jusqu'à plus soif, alors vous savez ce qu'il vous reste à faire les filles, lâche-t-il de sa voix traînante.

Et le voilà qui fait mine d'ouvrir sa braguette sans la moindre gêne.

— Non, ça ne va pas recommencer. Félix, tu te rassoies et tu avales ce bout de saucisson ou je te le fais bouffer par les narines, le met en garde Vincent, en pétard.

— Si on ne peut plus rigoler, se plaint l'exhibitionniste amateur en obéissant toutefois à Vincent.

Alizée lève les yeux au ciel, exaspérée par ce décérébré persuadé d'avoir fait preuve d'un véritable trait d'esprit. Comment est-il possible d'être aussi beau en étant aussi con et surtout, si peu lucide sur soi-même ? La question se pose. Parce que oui, le pire réside en ce point, ce naze est bel et bien mignon avec ses belles bouclettes blondes, ses traits fins et son nez légèrement retroussé. Alors, bien sûr, l'un n'induit pas l'autre et vice-versa, Félix l'illustre avec perfection, mais tout de même. Un mot en synthèse : gâchis…

— Et sinon, ton pote est super sympa hein ? Ben, voyons, on croit rêver, fait-elle à l'adresse de Charlie.

En guise de réponse, l'intéressé esquisse un sourire mutin avant de mordre à pleines dents dans la croûte de son propre sandwich plus préoccupé par sa faim que par les psychodrames inopportuns de ces compagnons de route.

Derrière une brève halte chez Salomé durant laquelle cette dernière s'est évertuée à faire le tri dans ses affaires du temps où elle arborait un look résolument plus rock pour en faire cadeau à son amie, Alizée pousse enfin la porte de chez elle en fin d'après-midi les bras chargés à bloc de vernis et de fringues noires. Pressée de prendre une douche à la suite de ce long week-end en forêt où l'unique toilette s'est résumée à une baignade sommaire dans un lac pour les autres, l'adolescente se rue à l'étage, jette ses fringues au sol et se frictionne énergiquement. Quand elle sort de la douche, la paire de ciseaux est encore là, sur un coin du lavabo, à la place où elle l'a laissée juste avant son départ. Elle sait déjà qu'elle va remettre ça, elle sait déjà que cet outil tranchant va servir à sa souffrance. Elle se sent démunie à le contrer. L'habitude lui a pris de s'infliger ce supplice deux soirs par semaine en moyenne, deux soirées pendant lesquelles elle réitère ce petit jeu pervers consistant à répéter ces gestes froids et mécaniques. Ces cuisses ont beau être en sang, elle n'éprouve rien, ni douleur ni picotement. Elle fusille le réseau routier qui lui sert de système veineux du regard tout en continuant à faire courir les deux lames de ses ciseaux aiguisés le long de celui-ci. Un coup vif bien placé et elle se ferait saigner comme un goret. Le sang coulerait sans fin pendant un temps en apparence infini, il inonderait le plancher de son rouge incandescent jusqu'à s'infiltrer dans sa plus minuscule rainure.

Ses parents absents, dixit le post-it sur le frigo, elle s'abstiendra de dîner, le sandwich de ce midi a rempli son office de bourrage intestinal.

Nous sommes sortis au cinéma voir La Belle Personne avec les Marnin,
il y a un taboulé dans le frigo et un reste de gratin.
À ce soir.
Nous t'embrassons.

108

Pour faire croire le total inverse, elle flanquera la portion de gratin à la poubelle en regrettant toutefois que Pietra ne soit pas une chienne. Un chien, ça manque quand on désire faire disparaître les traces d'un délit alimentaire. Elle a été à bonne école, ses parents mentent et font semblant comme personne.

L'orage fait rage au dehors des fenêtres de la cuisine. La pluie claque si fort contre les vitres qu'aucun élément extérieur n'est visible à moins de deux cents mètres. Les forces cosmiques les ont épargnés d'un déluge en forêt. Une aubaine. Pour autant, Alizée raffole de ces phénomènes météorologiques, cette instabilité ambiante associée à la tiédeur atmosphérique crée chez elle une excitation particulière, et ce depuis son plus jeune âge. Elle se rappelle notamment la fois où lors de vacances à la montagne, sa famille entière s'est fait surprendre par un violent déluge. En plus de la déconvenue liée aux précipitations, ils se sont arrangés pour s'égarer dans la cambrousse locale durant une demi-journée. Et malgré ce malheureux épisode, cette mésaventure n'aura pas amoindri l'amour incommensurable que Alizée nourrit envers ces éclairs électriques incontrôlables.

Son cœur se serre lorsque sa mémoire lui flanque à la rétine sans une once de compassion le visage rayonnant de sa sœur aînée en train de courir et de danser avec elle sous la pluie torrentielle. Dans un élan de nostalgie mélancolique, Alizée se précipite à l'extérieur par la porte-arrière de la cuisine donnant directement sur le jardin. Elle court à toutes jambes jusqu'en son centre et reste là le corps immobile, la tête tournée vers le ciel. Enfin, elle respire à pleins poumons en son for intérieur. La fraîcheur de la pluie l'exalte aussi bien qu'elle l'apaise. Paradoxe, son second prénom.

Trempée au plus profond des os, elle se décide à rentrer réchauffer sa carcasse, sa longue tunique rose pour seul vêtement, imprégnée d'eau, goutte abondamment sur les jolies tommettes du sol de la cuisine.

— Mon Dieu, on dirait un chaton tombé dans une bassine d'eau, s'horrifie son père alors qu'il pénètre dans la cuisine au même moment. Tu peux m'expliquer ce que tu faisais dehors par ce temps de chien ?

— Je crois bien que l'envie m'a prise comme ça, sur un coup de tête, avoue-t-elle platement. Mais je croyais que vous étiez sortis ! J'ai trouvé le post-it de maman sur le frigo.

— Je commençais à en avoir ras le bol alors j'ai décidé de ne pas attendre ta mère et rentrer avant elle… Oh, mon dieu, tes jambes !

— De quoi, mes jambes ? s'inquiète-t-elle sans se duper elle-même, le sang rouge dégouline le long de ses jambes nues.

Son père, la mine déconfite, jaillit sur sa fille, prisonnière de l'ignorance, incapable pour l'heure de se tirer de ce pétrin.

— Ce n'est rien, lui assure-t-elle en simultané d'un bas de tunique tiré en désespoir de cause.

— Ne fais pas l'enfant, laisse-moi voir, voyons !

— Non, je me suis coupée, un verre m'a échappé des mains et des éclats ont dû ricocher, c'est tout. Je vais nettoyer ça là-haut.

Aussitôt dit aussitôt fait, elle disparaît à l'étage à la vitesse d'un personnage de cartoon le temps d'effacer l'objection paternelle dangereuse éveillée par ce bobard peu convaincant.

De retour, les jambes désinfectées et rapiécées, camouflées sous une paire de vieux leggings, elle retrouve son père adossé au poste de travail, sa place originelle à sa pré-fuite. Son inquiétude ne transparaît plus, au lieu de quoi, il l'examine de ses profonds yeux noir corbeau, une tasse de café fumant à la main.

— Je vais te faire un bon chocolat maison, ça va te faire du bien.

Et alors qu'il s'affaire, muet, le dos tourné à sa fille, il reprend :

— Nous avons une fâcheuse manie dans la famille de nous terrer dans le silence quand l'instant est critique, nous sommes des taiseux, tu tiens de moi ce trait de caractère, mais si tu veux parler, je suis là, tu sais. Depuis la mort d'Alice, tu ne nous parles plus. Tu ne nous racontes plus rien… Le collège, la danse, tes nouveaux amis… Rien… Et nous avons donc réfléchi à la question, ta mère et moi. Nous pourrions, par exemple, envisager de prendre rendez-vous chez un psychologue si tu penses que parler à un inconnu t'apparaîtrait plus simple. Je veux dire par là qu'il ne faut pas que tu te refermes sur toi-même, lui soutient-il après s'être retourné face à elle pour lui tendre son mug Mickey attitré rempli de la boisson lactée cacaotée.

Un mug qu'elle manque de fracasser en mille morceaux en entendant le discours insultant de son père. Elle déteste les psys comme d'autres exècrent les dentistes. Elle les déteste, eux et leurs paroles préconçues sorties de leurs bouquins artificiels déshumanisés.

— Quoi un psy ? Ça va pas non ? Non jamais, plutôt crever ! Ce sont tous des charlatans, c'est même pas la peine d'espérer, je refuse d'en voir un.

— Ne le prends pas comme...

— Alors, c'est comme ça que vous voulez procéder ? On ne sait pas quoi faire de la fille restante donc on s'en débarrasse en l'amenant chez un psy alors que toi et maman, vous n'arrivez même plus à communiquer sans vous engueuler ! Non, mais je rêve ! s'emporte-t-elle révulsée par la proposition outrageante.

Sur le moment, son père demeure interdit, sa poigne crispée sur sa tasse.

— Tu te trompes sur mes intentions, jamais je ne souhaiterais te l'imposer. Ils aident beaucoup de monde. Tu pourrais expérimenter au moins une fois et si cela ne te convient pas, on arrêtera ! Ils ne sont pas tous irrécupérables comme tu sembles l'affirmer, se hasarde-t-il, imprudent.

— Ouais, peut-être bien, mais je ne ferai pas partie des cobayes, c'est moi qui te le dis ! On n'en parle plus, je vais me coucher, salut, fulmine Alizée en sortant furibonde de la pièce, son mug encore en main.

Alizée ne se reconnaît plus. À chaque jour son lot d'énervement et de larmes. Elle ne se maîtrise plus. Le seul fait hier que Vincent lui ait suggéré de ne plus essayer de contacter les jeunes présents la nuit du 17 août a dégoupillé la grenade et ce soir, son père. Son attitude imprévisible la laisse perplexe, mais l'option « psy » prise à chaud lui est inenvisageable.

Sur le chemin de sa chambre, Alizée s'arrête devant celle de sa grande sœur. Jusqu'à présent, les CD de relaxation d'Alice lui apparaissaient débiles, mais au point où son insomnie est arrivée, son mal ne pourra empirer à cause de notes de musique.

Son choix fait, un de musique tibétaine, un autre de chants de baleine, elle s'installe sur le bord du lit pour en feuilleter les livrets. Figée à fixer son reflet dans la vitre de la fenêtre l'esprit vide, elle laisse ses pensées vagabonder pendant de longues minutes puis s'en détourne dénouer le foulard enturbanné autour d'un des piliers du lit. Croyant y redécouvrir l'odeur safranée de sa sœur, elle le hume à grandes inspirations. Sa déception est immense quand elle s'aperçoit du vol de sa mémoire. Le parfum d'Alice, autrefois imprégné dans ses fibres, s'est volatilisé. Il a disparu, son foulard s'en est vidé. Certains affirment que la voix d'un défunt s'oublie en premier, chez Alizée, cette théorie est fausse, car pour elle, le premier à l'avoir abandonnée, c'est son parfum cutané. Ce plaisir de partager ce bouquet floral dont elle s'aspergeait, mêlée à la senteur sucrée naturelle dégagée par sa peau de méditerranéenne lui est dorénavant à jamais proscrit.

Afin de pallier l'ennui d'un mercredi pluvieux, les deux amies se sont organisé une petite virée au centre commercial, les seules galeries marchandes du coin, par ailleurs. Et pour y faire quoi ? Flâner dans les rayons, pour l'essentiel, sans réel but précis. Cette escapade lui fera des vacances, rester chez elle à endurer le sursaut d'assaut de reproches nourrit par sa mère à l'encontre de son mari, fâchée d'avoir été lâchée par ce dernier lors de leur dernière sortie à quatre, l'obligerait à puiser au-delà de ses forces.

Occupées à fouiner au rayon des produits d'hygiène, la tête dans le choix hallucinant de teintures pour cheveux, Salomé, l'air de rien, se rapproche des étagères et pivote en direction d'Alizée, une boîte de coloration cerise à la main.

— Tu voudrais pas le mettre dans ton sac ?

Alizée croit au départ à une défaillance auditive, mais elle se retrouve vite contredite par la mimique d'impatience que lui offre Salomé.

— Mais t'es folle, je ne vole pas, peste Alizée en prenant garde de murmurer de peur qu'un passant surprenne leur conversation.

Hélas pour elle, Salomé l'ignore d'une magistrale façon, saisit le sac en bandoulière de sa punk de pote et fourre vite fait l'objet du méfait à l'intérieur.

Choquée, Alizée reste pétrifiée dans les rayonnages. Que faire ? Le remettre en place dans la seconde ? Ou encore donner une tarte à Salomé pour cette connerie incompréhensible ? Finalement, c'est Salomé qui agira la première en agrippant son amie par le bras, l'éloignant ainsi de la tentation de réparer la faute commise. Lancée dans sa course frénétique de cleptomanie pathologique, Salomé subtilise un ensemble en dentelle, de bas noirs au rayon lingerie et un tee-shirt à effigie de Sid Vicious et cela, le plus naturellement du monde. Ses gestes sont assurés et vifs, presque automatiques, moins de quatre minutes se sont écoulées entre le moment où la voleuse professionnelle a repéré les trois articles et celui où elle les a tassés aux tréfonds de son sac. Une petite délinquante née.

Parvenues aux abords des caisses, Alizée suit la clepto' de service, appliquée à se faufiler tel un serpent en pleine fuite puis à se coller plus que de raison contre une vieille coiffée d'un fichu dans une file. La voleuse prend un paquet de chewing-gum sur l'étal au passage en prenant soin de déposer un ridicule paquet de chips à la moutarde sur le tapis roulant avant de faire volte-face et offrir un sourire rayonnant à son amie qui, elle, laisse percevoir un air défait. Le cœur d'Alizée opère un pic d'accélération digne de battements indicibles de ceux d'une souris quand elle voit leur tour bientôt poindre. Elle va claquer. L'adrénaline immiscée dans ses veines va finir par avoir sa peau.

Soudain, elle manque de s'étrangler lorsque l'alarme antivol, furieuse, se met à retentir. Bordel, c'est pour elles ! Elles sont faites comme des rates, ils vont appeler les flics et ses parents vont la trucider. Elle est dans la mouise jusqu'au cou et son insouciante complice en sera la fautive ! Mais alors qu'elle s'attend à voir la sécurité du magasin débouler en fanfare pour les interpeller, elle pousse un soupir de délivrance en entendant la caissière ordonner à la cliente de devant, la fameuse vieille au fichu, d'ouvrir son immonde sac en skaï. La cliente perdue en sort des chewing-gums. « Ils ne sont pas à moi, je ne comprends pas ! » se plaint la voix chevrotante. Bien sûr qu'ils ne lui appartiennent pas, ce sont ceux que Salomé vient tout juste de piquer sur les rayons près de la caisse. Elle aurait dû choisir une autre victime. Cette pauvre dame frôle la syncope.

C'est une porte de sortie offerte sur un plateau que Salomé saura se saisir ainsi qu'une Alizée blafarde de hargne rentrée dans son sillage. Le portique emprunté, il bipe de nouveau sous le regard distrait de la caissière qui semble, par bonheur, l'associer de nouveau à la cliente précédente. Impossible, ce n'est pas aussi simple, on va les démasquer d'une minute à l'autre, elles ne peuvent passer entre les mailles du filet aussi facilement. Et pourtant, la minute s'écoule, s'égrène. Une soixantaine de secondes durant lesquelles Salomé paie son satané sachet de chips à 0,90 euro avec toute l'amabilité dont elle est capable et tourne les talons sans que ni l'une ni l'autre ne soit inquiétée.

— Alors, c'est qui la plus forte ? triomphe Salomé à peine les portes coulissantes géantes de la galerie marchande franchies.

— NAN, MAIS DIS-MOI QUE TU PLAISANTES ! J'étais à deux doigts de crever ! Ne me refais plus jamais un coup pareil ! vocifère de colère Alizée, la menotte tremblante sur le cœur.

— Arrête, je suis sûre que ça t'a excitée ! Tu ne te sens pas vivante ? Tu ne sens pas ta poitrine palpiter ? rit Salomé, désinvolte.

— T'es cinglée, ma pauvre ! Faut te faire soigner.

Et elles rient toutes deux aux éclats. Même si le reconnaître l'ennuie, Alizée n'a jamais rien éprouvé de tel jusqu'alors. Elle s'est sentie sur le fil, tendue comme un string sur le cul bombé d'une Brésilienne et maintenant qu'elles sont hors de danger, une force étrange mêlée de fierté vient l'habiter. Ces nuls n'ont foutrement rien soupçonné. Quels blaireaux…

De retour chez elle, sa bonne humeur disparaît à l'instant même où elle tombe nez à nez avec sa mère. Ses yeux assassins lancent des éclairs de feu. Que lui arrive-t-il encore à cette femme adultère ? Sans un mot, elle agite une enveloppe frappée d'un sigle que Alizée identifie tout de suite comme étant celui de son collège. Le bulletin scolaire ? Déjà ? Impensable, les feuilles des arbres continuent de roussir au-dehors, il est définitivement trop tôt pour ce genre d'événement scolaire.

— Qu'est-ce que tu attends pour m'expliquer ceci ? la questionne sa mère, désignant la lettre de son doigt sévère.

Expliquer ? Mais expliquer quoi ? Alizée ne comprend rien à ce qui se trame, il serait donc appréciable que sa chère mère se décide enfin à l'informer du contenu renfermé par ce courrier avant de songer à se lancer dans une quelconque argumentation fumeuse.

— Et qu'est-ce que raconte ce papier ? se hasarde Alizée sur la défensive.

— Mais je vais te le dire, fait celle-ci, le ton sensiblement plus haut pendant qu'elle déplie la lettre d'un coup sec. Ton proviseur me rapporte quatre absences injustifiées. Tu veux bien m'expliquer ce que tu faisais le 2 octobre de quinze heures à dix-sept heures ? Deux heures, bon sang, deux heures ! Où te trouvais-tu durant toute cette période ? Et le lundi 16 octobre et le 17 de dix-sept heures à dix-huit heures ? Si je ne m'abuse, tu es censée être en études occupée à faire tes devoirs lors de ce créneau horaire ! Et le 22 ? Est-ce que je t'ai élevée de cette manière ? Je ne crois pas. Je te préviens, je n'accepterai jamais ce comportement chez ma propre fille, fais bien attention !

Par l'entremise de son monologue inquisiteur, elle évite, malgré elle, à sa fille de se justifier face à l'accusation, car, à dire vrai, elle se retrouve amnésique, infichue de se rappeler avec certitude ce qu'elle trafiquait ces jours précis. Enfin, si, il y en a bien un durant lequel elle a rejoint Salomé dans le « parc réservé aux artistes » pour assister à un concert sauvage des *Black Deal* mais en ce qui concerne les trois autres, le mystère persiste. Elle reconnaît volontiers s'être déjà comme déconnectée de la réalité où, lors de ces rares occasions, elle est restée plantée sur place à ne plus savoir où aller, que penser, quoi faire, alors elle s'est surprise à se poser sur le sol à attendre le néant, pour ne sortir de cet état second que plus d'une demi-heure plus tard. Dans ces moments-là, il était, par conséquent, trop tard pour se rendre au cours qu'elle était en train de rater. À la place, elle a préféré tantôt errer dans les rues tantôt chez le disquaire du coin en quête de temps assassin.

— Je n'ai aucune explication à te donner, finit par confesser Alizée, les yeux baissés, je ne sais pas ce qu'il m'a pris. Je suis désolée, crois-moi…

— Et c'est cela, ta seule réponse ? Ce n'est pas suffisant pour moi, Alizée. Oh non, cela ne me suffit pas !

— C'est comme ça, je n'ai rien d'autre à dire pour ma défense. Mais maman, le tribunal de l'Inquisition s'est achevé depuis des siècles.

— Tu es sortie cet après-midi, avec qui étais-tu ? l'ignore sa mère.

— On est mercredi, j'étais sortie avec une amie. Voilà.

— Qui ?

— Salomé, l'amie que j'ai rencontrée au cours d'art en début d'année, je t'en ai déjà parlé.

— Je ne vois pas, rétorque sa mère, bottant en touche.

— Pour ça, il faudrait peut-être m'écouter, ça aide !

— Ne retourne pas la situation ! File dans ta chambre, on en reparlera avec ton père ce soir, fulmine sa mère.

Avec ses pupilles électrisées, elle a l'air d'une vraie folle prête à bondir sur une proie suicidaire.

Qu'elle mette à exécution ses menaces, Alizée s'en tape cordialement. À quoi bon s'évertuer à être la meilleure en tout si c'est pour finir six pieds sous terre à l'instar de sa grande sœur ? Elle a excellé jusque maintenant que ce soit au collège ou à la danse et on lui a octroyé quoi en échange ? La mort de la personne la plus importante de sa vie ! Alors, à quoi bon... Quel intérêt y a-t-il à bosser comme une forcenée si on la punit avec une violence immense ? Non, se crever à la tâche ne lui apporte plus de satisfaction. Avant, Alizée ne roulait que dans le but de réussir, elle atteignait ses objectifs à force de volonté, son unique moteur. Avoir du succès lui apparaissait tellement facile qu'il lui en fallait toujours davantage. Toujours plus de reconnaissance, toujours plus de fierté dans le regard de ses parents, dans les intonations vocales de sa mère quand elle vantait les dernières performances de sa fille lors de dîners familiaux. Des instants magiques pour Alizée. Mais c'en est fini désormais de cette mascarade futile, la Alizée du présent se contrefout des lauriers. La paix constitue dorénavant le premier de ses souhaits.

La sentence tombe dès le samedi matin suivant, preuve si l'en est de la précocité décisionnelle. Garce.

Sa punition : un travail en bénévolat. Justifié par de minuscules malheureux jours d'absence ? Sa mère doit lui faire une mauvaise plaisanterie. À quand une braderie de mères où les enfants insatisfaits auraient la possibilité de s'échanger leurs prototypes défectueux ? Car, non, tout enfant ne recherche pas les mêmes qualités chez la femme qui l'élève. Une mère laxiste convient à certains quand une mère poule correspond à d'autres. Celle dont Alizée rêve est aimante, présente et compréhensive, ce qu'elle ne possède manifestement pas.

— Alizée, je t'en conjure, dépêche-toi ! s'égosille sa génitrice du garage.

Sa progéniture peste à devoir abandonner son lit la matinée du premier jour de son week-end. Et qu'elle ne vienne surtout pas se plaindre si les résultats scolaires de sa fille chutent pour cause de grignotage temporel.

— Ouais, ch'uis là, j'arrive, grommelle Alizée en traînant des pieds le long du chemin qui la mène au sous-sol.

— Tu aurais pu te vêtir convenablement, ma parole ! Regarde-toi un peu, ils vont te prendre pour une SDF, se scandalise sa mère face au jean troué de sa fille.

L'attaquée lève les yeux au ciel, insensible à la critique.

— Ouais, peut-être… Auquel cas, j'en aurais juste rien à foutre !

— Et surveille ton langage pour l'amour du ciel ! siffle sa mère tandis qu'elle s'engouffre à l'intérieur de la Picasso familiale métallisée.

Pour une femme qui s'est toujours revendiquée non-pratiquante, elle invoque un peu trop souvent cette entité divine sensée être inexistante. Encore une contradiction approximative typique d'elle.

— À part ça, j'ai le droit de connaître le nom de mon prochain pénitencier ou, là encore, c'est trop demander ? la questionne Alizée, une fois installée sur son siège.

— *Nos amis à quatre pattes.*

— Oui, et ? Je ne suis pas devin, excuse-moi, je n'ai jamais entendu parler de ce truc.

Que croit-elle ? Elle ne va quand même pas lui tirer les vers du nez ? Et puis, quoi encore ? Ce n'est pas comme si elle s'y rendait de bonne grâce.

— C'est un refuge d'animaux abandonnés, ils sont en manque de personnel et avec la période hivernale qui approche, ce besoin ne fait qu'accroître. J'ai donc tout naturellement pensé à ma fille si serviable.

Cela te permettra d'occuper ton temps libre de manière plus productive au lieu de traîner sans arrêt avec cette fille.

Sans blague ? Trop aimable… Sauf preuve du contraire, en cette période puante à pleins naseaux de devoirs surveillés mi-trimestriels, Alizée a tendance, à l'inverse, à courir après des heures ô combien pressées et précieuses. Elle en fait une belle, elle, de donneuse de leçons alors que, de son côté, elle est infichue de mettre tout en œuvre pour sauver son couple. Tout le monde se coltine son lot de problèmes à résoudre, cependant, plutôt que de se préoccuper de ceux de sa fille, elle gagnerait à oser l'impossible quant à l'élimination des siens. Qu'elle balaye un peu devant sa porte. Son hypocrisie pathologique la révulse.

Arrivée à bon port aux côtés d'un bâtiment un poil vétuste, mais, néanmoins, encore empreint d'une élégance passée, sans mot ni geste d'au revoir à l'intention de sa mère, Alizée claque violemment la portière en vue d'entreprendre de vives enjambées en direction des portes d'entrée.

— Ta mère m'a informée que tu avais un chat chez toi, du coup, nous t'avons affectée au département des félins, de cette manière, tu ne seras pas trop dépaysée. C'est agréable de travailler ici, tu vas t'y plaire, lui assure la responsable adjointe du refuge suite à sa présentation à l'accueil.

Alizée garde le silence, toujours remontée à l'encontre de sa mère qui a, pour la millième fois, surréagi, et suit la dénommée Marie, sa guide spéciale le temps que durera la traversée de cet interminable corridor débouchant sur une lourde porte à poussoir métallique. Maudit soit le monde entier.

Dissimulé derrière elle, un espace consacré au bien-être exclusif félin se déploie. Le moindre centimètre carré est aménagé de sorte que la satisfaction de leurs multiples besoins soit optimisée. C'est bien simple, les bénévoles ont fait de cette pièce un véritable sanctuaire pour boîtes à ronrons ambulantes où nombreuses sont les mains à s'affairer de tous côtés.

— Viens avec moi, Alizée, l'invite de nouveau la bénévole, pour ton premier jour parmi nous, nous avons trouvé judicieux de te mettre avec un jeune garçon qui a ses quartiers ici. Il a intégré l'équipe il y a environ cinq ans, alors, ne t'en fais pas, il t'expliquera tout ce que tu as besoin de savoir. Pose-lui n'importe quelle question, il saura y répondre mieux que quiconque.

Oh, ça, Alizée n'en doute pas une seule seconde. Et la voici qui gémit, convaincue de tomber sur un Rémy bavard en chef prêt à lui tenir la jambe, à lui parler d'arbres à chats, de griffes à couper, de poils à peigner jusqu'à ce que la structure associative ferme ses portes.

Elles zigzaguent encore un bref instant et s'arrêtent enfin face au dos d'un jeune accroupi portant un tee-shirt noir avec une tête de dragon effrayante. Ce tee-shirt ne lui est pas inconnu, elle l'a vu quelque part, mais où ? À peine a-t-elle émis cette interrogation que ledit jeune homme pivote sur lui-même, dévoilant son visage. Ils se jaugent en silence, l'un, d'un air amusé, l'autre, totalement médusée.

— Tu me suis, c'est ça ? Avoue ! plaisante Charlie.

La chaleur monte aux joues d'Alizée comme au jour de leur rencontre.

— Je te jure que non, c'est un pur hasard ! La faute à ma mère, se défend-elle, de plus en plus gênée.

Il rit de plus belle.

— Alors, ma pauvre, il paraît que l'on t'a mise avec moi ? Approche-toi plus de moi. Promis, je ne mords que si on me le demande, ajoute-t-il avec un sourire en coin, le travail ici n'est pas trop compliqué, j'étais justement en train de brosser les chats angoras. C'est beau, mais 'sont chiants ces trucs, ça te fait des touillons monstrueux, fait-il tandis qu'il lui montre une boule de poils conséquente lovée dans sa paume gauche.

— Je ne savais pas que tu avais l'âme d'un sauveur d'animaux ?

— Femme ? Animal ? J'aime secourir l'innocence et la beauté de ce monde, fait-il la toisant de ces iris couleur océan.

En fin de compte, cette punition sera la plus belle qu'on ne lui aura jamais donnée de sa vie. Ils passeront l'intégralité du samedi ensemble à s'amuser, à se chamailler et à parler, en particulier, de la fête d'Halloween prévue pour le mardi suivant au squat. Elle va se plaire entre ces murs, le fait est maintenant établi.

Au vu de son absence d'inspiration en matière de maquillage, la proposition de Salomé de venir à son domicile afin de s'y préparer de concert tombe à pic. Sur le chemin, elle repense à Charlie et à ce samedi idyllique qu'ils ont passé ensemble sur fond de ronronnements félins. Sur le coup, elle n'a pas osé lui demander son numéro de téléphone de peur de paraître trop accro, par ailleurs, l'affaire pourrait se régler en deux coups de cuillère à pot via son exubérante de copine. Cela mérite réflexion. En quoi va-t-il être déguisé ce soir ? Elle voudrait bien le savoir… Mais alors qu'elle fantasme sur un hypothétique Charlie superbe en *Jack Sparrow*, elle rate le trottoir et s'étale de tout son long sur le bitume, son portable avec. Quand elle se relève enfin, son mobile éclaté en mille morceaux, la coque dans une main, la batterie et le portable dénudé dans l'autre, la rue se met soudainement à tanguer de part en part. Prise au dépourvu, elle manque une seconde fois de s'écrouler, les genoux au sol, mais se rattrape in extremis au muret le plus proche, celui de son voisin, Monsieur Dumont, un petit vieux adorable qui ne rate jamais une occasion de prendre des nouvelles de la famille dès lors qu'il croise l'un d'eux sur sa route. Ses vertiges ont sans nul doute été causés par la vitesse avec laquelle elle s'est redressée, il n'y a pas de quoi s'alarmer et c'est ainsi que d'un pas pour le moins hésitant, elle reprend le cours de sa marche.

Fière de son choix, Alizée sort de son sac un costume de pom-pom girl bleu du meilleur effet qu'elle a commandé au préalable sur internet pour l'occasion avec l'aide précieuse de la carte bancaire de son père. Et en dépit de la vive approbation que ce déguisement reçoit de la part de Salomé, l'élégante baba cool suggère d'y apporter deux ou trois améliorations, notamment en grimant la ballerine en zombie agrémentée de taches de sang verdâtre éparses pour parfaire le tableau. Une pom-pom girl zombie ? L'idée a de quoi emballer la jeune rousse.

Lorsque celle-ci entre dans la chambre de son amie, la pléthore invraisemblable de costumes et d'accessoires en pagaille jonchés sur le plancher la fait frissonner d'exaltation. Nonobstant, même munie de mille et une précautions, éviter de piétiner ce trésor de carnaval lui sera difficile. Salomé aurait de quoi créer son propre bal costumé avec cette armada en stock, et à la façon dont elle a étalé son foutoir, il semblerait qu'elle n'ait pas encore réussi à arrêter son choix sur le port de sa tenue d'un soir. À sa décharge, le contenu de son coffre déversé de la sorte donne matière à se triturer la cervelle. L'abondance de costumes est telle que le regard d'Alizée ne sait où se poser. Gisent des boas de couleurs variées, bariolées ou unies, des chapeaux décorés tantôt de plumes tantôt de rubans, des gants de soie noir, rouge ou blanc, un chapeau melon, une robe Charleston, un costume d'infirmière, un autre d'Indienne... Fait notable, la riche collection se compose également de costumes masculins, Alizée en comptabilise, au bas mot, une bonne cinquantaine.

Curieuse de nature, elle profite de l'affairement de Salomé au sol pour se tourner vers de fines étagères accrochées au mur près du lit et les explorer. Un paquet d'objets divers s'amoncellent ici et là ; s'y côtoient mini chicha, bijoux fantaisie, foulards, bibelots et livres. Plusieurs traitent de l'athéisme, Salomé lui précisera son combat contre toute forme de religion, excepté le bouddhisme relevant selon elle plus d'un état d'esprit contrairement aux autres croyances avilissantes qui soumettent et écrasent leurs disciples de leurs multiples règles dogmatiques.

— Toi, quand tu aimes une discipline, ça se voit ! T'as quoi ? Seize ou dix-sept bouquins sur Cléopâtre et l'Égypte ancienne, observe Alizée, sans cacher son envie.

Salomé s'approche elle aussi, prend dans ses mains l'un des ouvrages qu'elle commence à feuilleter avec grande précaution.

— J'avoue... Dès que je tombe sur un nouveau livre qui lui est consacré, je l'achète direct, je ne parviens pas à m'en empêcher. J'adore tellement cette figure féminine, c'est une icône ! Elle incarnait le pouvoir au féminin. T'imagines, elle a dominé les hommes grâce à sa ruse, son pouvoir sexuel et l'influence qu'elle exerçait sur eux. C'était une femme forte, indépendante, fine stratège, cultivée et dotée d'une haute intelligence. On dit même qu'elle parlait au moins cinq langues et qu'enfant déjà, elle cherchait à tout connaître sur tout, qu'elle avait un appétit de connaissance et de savoir insatiable. Tu veux mon avis, les femmes du monde entier devraient la prendre pour modèle.

— Je vois... On peut dire qu'est née une certaine forme de féminisme avec elle, je comprends mieux maintenant pourquoi elle te fascine autant.

— Mais tout à fait, je ne l'avais jamais vu sous cet angle, reconnaît Salomé dans un éclat de rire cristallin.

— Tu vas peut-être me trouver étrange, mais je n'aurais pas cru une seule seconde que tu étais une férue d'histoire.

— Ah ouais ? Je me demande bien pourquoi... Enfin, en réalité, je suis hyper sélective, reconnaît Salomé tandis qu'elle reprend sa quête du déguisement parfait. Je ne me passionne pas pour l'histoire de chaque pays qui peuple cette planète. Je voue un culte sans borne à l'histoire antique comme l'Égypte, la Grèce ou l'Empire romain... Les civilisations de ces temps reculés étaient d'un romanesque inouï. Je pourrais en discuter pendant des heures.

— Tu en parles bien en tout cas. Tiens, tu as aussi des romans de George Sand, se rend compte également Alizée.

— Oui, j'en ai une poignée seulement, et tu peux me croire, je les aurais tous si j'avais plus de thune. Elle occupe aussi une place importante dans mon cœur. C'était une femme sensationnelle et passionnée. Une auteure exceptionnelle qui s'est affranchie des conventions sociales ne peut que me plaire. Oh oui, tu ne peux pas savoir à quel point j'admire cette femme !

— Et je n'y crois pas, tu as punaisé une repro du radeau de la méduse, s'extasie Alizée qui vient seulement de s'apercevoir de la présence de l'affiche en petit format au-dessus du bureau de Salomé.

— Tu aimes ce tableau ?

— Oui, il me fascine beaucoup ! Il s'en dégage une force extrême. Je prends un coup de poing dans la tronche à chaque fois que je le contemple. J'adorerais le voir en vrai de mes propres yeux, son intensité doit en être décuplée.

Salomé lève le nez un instant de ses fouilles pour scruter à son tour son affichette.

— Lors de ma prochaine escale à Paris, je t'embarque avec moi, si tu veux ! Tu sais ce qu'on dit à propos de ce tableau, au moins ?

— Non, quoi ?

— Eh bien, on raconte que Théodore Géricault a foutu des chaussettes aux pieds de ses naufragés non pas dans un souci du détail, mais parce qu'il ne maîtrisait pas la représentation anatomique d'un panard ! T'y crois, toi ? C'est juste dingue !

— C'est pas des conneries, j'espère ? Ça paraît tellement gros comme histoire, réplique Alizée, un rien sceptique.

— Non, je te jure, j'ai vérifié sur le net ! Quand l'autre aigri nous l'avait raconté en cours de dessin, j'avais eu moi-même du mal à le croire, mais, apparemment, l'anecdote est véridique. Comme quoi, même les plus grands artistes peuvent avoir des lacunes, c'est rassurant dans un sens, déclare-t-elle tandis qu'elle se concentre à présent dans la recherche de sa boîte de maquillage horrifique. Quinze ans et déjà des intérêts et des idées bien arrêtés, à croire que sa personnalité ne nécessite déjà plus l'intervention de forgeron. Alizée en serait presque jalouse, elle qui se ressent si instable quand il s'agit de son devenir, lequel se caractérise par un flou artistique des plus troubles. Son caractère change sans arrêt, la déstabilisant sans cesse, si bien qu'elle semble se retrouver dans l'incapacité la plus totale de contrôler quoique ce soit dans sa vie, alors que Salomé est, de son côté, insolente d'assurance. Elle paraît maîtriser en toute circonstance sa trajectoire, être au fait de ce qu'elle veut et ne veut pas, ne laissant jamais l'occasion au doute le loisir de l'assaillir. Quelle chance elle a !

— Oulala, il est temps de se bouger, s'alarme Salomé, l'œil rivé sur son portable, viens ici que je m'occupe de toi. Si tu me laisses faire sans condition, je jure de faire de toi la cheerleader morte-vivante la plus canon jamais admirée sur Terre.

— Chère amie, je me livre à vous et à vos mains expertes, déclame Alizée, s'avançant vers elle les bras croisés sur la poitrine prête à jouer le cobaye consentant à fond.

Le squat d'ordinaire un chouïa négligé s'est vêtu de ses habits de lumière au point d'en être devenu méconnaissable. Alizée est fascinée face à l'ampleur du travail fourni par les courageux volontaires, elle se croirait propulsée dans l'une de ces séries américaines où les protagonistes mettent le paquet sur la décoration pour en mettre plein les mirettes à leurs amis. Aucun détail n'a été négligé, les murs ont été repeints en noir pour l'occasion, de fausses toiles d'araignées ainsi que des squelettes ont été épinglés aux murs. Sur le bar, lui aussi frappé de la magie de la fête des Morts, trône fièrement un chaudron fumant dans lequel marine un punch rouge écarlate agrémenté de globes oculaires injectés de sang flottant à sa surface et également tout un tas de coupes noires opaques dont le manche rappelle vaguement l'aspect d'un os. Les invités, eux-mêmes, n'ont pas manqué d'inventivité dans l'élaboration de leurs costumes plus sensationnels et horrifiques les uns que les autres. Il y a bien sûr les classiques vampires, sorcières et morts-vivants dégoulinants d'hémoglobine rouge ou vert kaki pourri, mais, en plus de ceux-là, se sont ajoutés des personnages plus originaux et recherchés comme la petite fille terrifiante du film *The Ring*, des loups-garous stupéfiants de réalisme, la famille Addams au grand complet, des méchants de *Batman* du style *Poison Ivy*, *Le Joker* ou encore *M. Mystère* et plusieurs beaucoup plus improbables pour lesquels leurs propriétaires ont délaissé le côté épouvante de cette célébration pour ne garder que la partie déguisement et maquillage. Les deux amies ont eu par exemple le plaisir de tomber nez à nez avec des *teletubbies*, un *Babar* au costume fort élaboré, un *Jafar* avec son perroquet *Iago* à l'humour grinçant en feutrine sur l'épaule et même un *Pikachu* au pas très chancelant.

— Les gens ont été inspirés cette année, les gratifie Salomé, sincèrement sur le cul.

Une fois n'est pas coutume, la musique a été poussée au maximum, elles n'auront donc pas d'autre moyen que de hurler pour se faire entendre et mutuellement se comprendre.

— Et maintenant, direction le baaaaar ! clament Alizée et Salomé en chœur joyeux.

Très vite, l'alcool commence à monter chez la cheerleader en seulement deux verres. Elle qui a tant espéré cette fête en prévision d'une lobotomie crânienne réglementaire, la voilà comblée. Oublier et s'éclater, c'est ce qu'elle désire à l'instant T.

— Un troisième, ma pipounette ? suggère Salomé alors qu'elle avale la dernière goutte du sien.

En guise de réponse, Alizée sautille au rythme de la musique en agitant furieusement son gobelet vide. En deux-trois mouvements, Salomé le lui confisque, disparaît et revient avec le convoité nectar.

— Et un cocktail de la mort pour la belle demoiselle ! Un !

La fête bat son plein dans le squat, en particulier au sous-sol où une scène ouverte a été organisée pour l'occasion. Du punk un soir d'Halloween ? L'association concorde à merveille. Rien de tel qu'une bonne soirée punk pour remonter un moral en berne, cet heureux boucan tirerait n'importe quel mort de son repos éternel. Un étage plus bas, le duo de complices éméchées mettent la main sur un Charlie métamorphosé en maître de l'enfer à la peau rouge et sur le désagréable Félix affublé, lui, d'un déguisement de clown épouvantable, le *Ça* flippant de Stephen King.

— Ariel, une petite descente dans la poudreuse, ça te tente ? braille Félix à l'intention d'Alizée après deux chansons à se toiser.

— Ariel, en référence à la petite sirène ? Ah ouais, pas mal, approuve Charlie d'un hochement de tête.

Si, lui aussi, s'y met, Alizée jette l'éponge.

Quelque peu désarçonnée que Félix lui adresse la parole presque de manière cordiale, Alizée peine à répondre dans l'immédiat.

— Coke or not coke ? propose-t-il de nouveau de son air narquois retrouvé pendant qu'il extirpe de sa grande poche avant de clown un minuscule sachet zippé au fond duquel se niche une fine poudre blanche qu'il s'empresse d'agiter devant son propre nez.

— Pourquoi pas... Allez, j'me laisse tenteeer, répond Alizée, totalement partie dans la sphère attitrée des picolos notoires.

Félix la fixe bouche bée, manifestement stupéfait par la décision finale de sa tête de Turc favorite.

— T'es bien sûre d'avoir pigé ce qu'il veut te filer ? hurle Salomé à son oreille.

— Wééé, j'ai très biiiien impri... mé ! bafouille Alizée, chancelante.

— Mais tu n'es pas obligée de faire ça, ma chérie ! Tu n'as rien à lui prouver à ce gros naze et à qui que ce soit d'autre, d'ailleurs, essaie de la convaincre en vain Salomé.

Mais Alizée, bien déterminée à sauter la case de la trouillarde invétérée, s'approche de la table haute ronde où sont appuyés les deux garçons, et en moins de temps qu'il n'en faut pour le nommer, s'empare d'une paille coupée en trois bouts, placée en son centre, se la met au nez et aspire de toutes ses forces. Elle est étonnée, la sensation de cette poudre qui vient lui picoter l'intérieur de la narine la dérange moins que ce qu'elle aurait pu craindre. Finalement, ce n'est pas si dur de jouer à la fille dévergondée. C'est comme la bicyclette, au départ, on panique et une fois les tours enchaînés, on refuse d'en redescendre.

La coke, combinée à l'alcool, ne tarde pas à la décalquer vite fait. Un coup, elle se voit rire en compagnie d'un groupe de gens et la seconde d'après, elle se trémousse entourée d'inconnus aux rythmes des riffs galvanisants dégueulés des enceintes de compét'. Comme une impression de vitesse accélérée.

Plus tard dans la soirée, la pom-pom girl d'un mètre cinquante-sept croit distinguer Salomé en train de se prendre violemment le chou avec un capitaine sanguinolent aux yeux rouges. Hélas, de son poste conjugué à la musique hurlante et aux substances qualifiées d'embrouille cérébrale, Alizée ne parvient à décrypter ne serait-ce qu'une bribe de leur conversation pour le moins animée.

Quand, tout à coup, sa copine coupe court à l'engueulade et se précipite à sa hauteur.

— Donne-moi ton verre ! Tout de suite ! lui ordonne-t-elle sur un ton plus inquiet qu'autoritaire.

— Mais quel outrage ! Non, je m'insur... ge ! Si tu me voles ma gourde de vie, je t'arrache les entrailles, ce sera au moins ça que les vivants n'ob... n'obtiendront pas, proclame la jeune rousse totalement pétée, les intonations d'une vieille bourgeoise offusquée d'une époque disparue en complément.

Ses suppliques déblatérées, la baronne débraillée à la mine théâtralement offusquée pousse le vice jusqu'au bout. Cul sec. Liquide incriminé ou non.

— Mais pourquoi as-tu fait ça, merde ? Je t'avais pourtant dit de me le donner et non de le boire en shot !

— Trop taaaaard ! fanfaronne Alizée, fière d'elle s'éloignant déjà gaie comme un pinçon se déhancher plus loin.

Ses bras de guimauve s'agitent mollement au gré des notes assourdissantes du morceau de punk trash, son cerveau, quant à lui, est aux abonnés absents. Il n'y a plus aucun commandant à bord de cette caboche anesthésiée, il a déserté très loin. Ses muscles, eux, bizarrement, semblent vivre une existence parallèle au reste de son corps. Tant pis, elle s'en souciera demain. Dans le même intermède et malgré une vision plus qu'approximative, elle aperçoit encore la princesse possédée, Salomé, postée à un angle de la pièce, occupée à scruter ses moindres faits et gestes. Qu'attend-elle ? Elle devrait l'imiter, s'enivrer de sa liesse, se laisser emporter par l'ivresse et la frénésie nocturne. Alizée se sent tellement bien à danser sans se soucier du lendemain. Comme il est bon de prendre son pied après tout ce qu'elle a vécu ces derniers mois. Son innocence antérieure lui déchire le cœur de son absence, et ce soir, enfin, elle touche du doigt cette succulente naïveté sucrée teintée d'inconscience et la savoure dans l'allégresse.

Dans la nuit, Salomé lâchera au final un sacré leste, elle le prouvera, par l'entremise d'une montée sur le comptoir, la durée d'une danse transie accompagnée d'une Alizée totalement désinhibée. On appréciera le spectacle en contrebas. Elles se trémousseront comme l'auraient fait deux diablesses sous ecsta vouées à séduire chacun des regards qui se seraient aventurés sur leurs courbes de nymphettes. Parmi ces vingtaines de paires d'yeux, Alizée distinguera celle de *son* Charlie, interloqué, mais ravi néanmoins, et n'écoutant que son appétit nouvellement libéré, elle sautera de ce qui lui aura servi de scène, se fraiera un chemin vers l'objet de ses désirs et ira l'embrasser fougueusement, du moins, elle osera le fantasmer. La réceptivité ou non du receveur ne l'angoissera même pas, trop heureuse de sa soudaine impulsion. Elle le lâchera ensuite, sautillante, un éclat de rire aux lèvres.

Plus les verres s'empileront plus la conscience d'Alizée s'échappera pas à pas, adjointe étroite de sa présence d'esprit évanescente. C'est avec désinvolture qu'elle constatera ses atteintes physiques et mentales aussi déplorables que l'est devenu son déguisement froissé. Affublée de son costume tâché et déchiré, elle incarne plus une pom-pom girl camée plutôt qu'une cheerleader extirpée de son coffre mortuaire. Charlie ? Elle ne le recroisera plus de la soirée. Puis, sans crier gare, sa mémoire la quittera, elle aussi. Bientôt, ce sera le trou noir total.

Les lueurs juvéniles de l'aube la réveillent et avec elles vient un torrent de questions embrouillées par les vapeurs alcoolisées encore bien persistantes de la nuit. Son crâne la fait souffrir d'un mal de chien. Sa bouche sèche réclame de l'eau en urgence, il lui en faut et vite. Malheureusement, rien ne s'y apparente à proximité d'elle excepté une bouteille en plastique à l'intérieur de laquelle stagne un liquide jaunâtre douteux. Alizée se jurera de n'y aventurer son nez sous aucun prétexte.

Elle était venue à l'origine rayer la tristesse de sa vie présente d'un trait fort, son souhait a été exaucé à l'occasion de cette fête de folie et l'ennui, c'est qu'elle ne se rappelle absolument rien. À cette heure précise, elle ignore comment elle a atterri dans cette chambre sordide au côté de ce garçon travesti en diable et à y regarder de plus près, elle paraît dans l'impossibilité la plus formelle de décliner l'identité de cet adolescent allongé près d'elle, nu de surcroît, ni même de l'identifier comme connaissance fortuite. Elle ne se souvient plus de ce qu'elle a fait que ce soit avec cet individu mâle ou d'autres personnes. C'est bien simple, son dernier souvenir remonte à sa danse décomplexée exécutée en duo sur le comptoir à l'équilibre précaire. Elle en déduit qu'un trou noir de plusieurs heures parasite sa soirée de débauche. À quoi a-t-elle bien pu s'adonner lors de cette énorme bouche béante temporelle ? Rien d'irréparable ou de très condamnable, elle l'espère. Empêtrée dans ce marasme informe, elle est toutefois soulagée de notifier la présence de ses propres sous-vêtements, dissimulateurs de sa nudité, elle n'a donc logiquement pas couché avec cet inconnu, car quel énergumène va prendre la peine de se revêtir après l'acte en étant torché ? Personne, hormis les cinglés. Mais entendons-nous bien, Alizée n'a rien contre les filles qui se débarrassent de leur virginité comme d'un fardeau encombrant, c'est simplement que, selon ses principes personnels, d'autres manières de procéder existent. Sans doute est-elle trop romantique, mais sa première fois, elle la rêve parfaite avec un garçon qui compte réellement pour elle qui l'aimera en retour et non avec un type défoncé, rencontré la veille, tout heureux de rendre service. LA première fois, on y met les formes, cela se prépare.

Grimaçante de précaution, Alizée sort du lit dans la quête désespérée de ses fringues éparpillées. Réussir à réunir ses propres vêtements après une cuite d'enfer relève plus d'une chasse au trésor à l'échec anticipé que d'une partie de plaisir. Les chercher l'énerve tellement qu'elle promet l'arrêt complet de la picole extrême sous peine de suicide par pendaison. Gagné ! Panoplie intégrale (bonjour mademoiselle chance) localisée sous bout de matelas.

Son contentement sera bref. Et un bordel de quitté pour un second envahissant notamment plus conséquent. La maison, fruit heureux d'un abandon de propriété, les soulage au moins d'hypothétiques comptes à rendre à l'occupant. Quel merdier ! Pas un centimètre carré n'est recouvert de confettis, de fausses toiles d'araignées arrachées, de gobelets abandonnés à moitié vides, de fringues orphelines ou pire de flaques nauséabondes, vestiges d'anciens contenus gastriques. L'odeur, non déchiffrable tant elle se compose d'éléments variés, lui tord les boyaux.

« La marque *Poivrot's team* vous soumet sa nouvelle fragrance : "délicate gerbe", une alliance subtile de senteurs âpres entêtantes rehaussées d'une note légère de vodka mixée à celle du whisky. Un vrai pot-pourri de bourrés qui fera un malheur chez un public averti ! »

Les conneries se vendent tant de nos jours qu'une de plus mise sur le marché passerait inaperçue. Monde merdique !

Les corps inertes d'une vingtaine de joyeux cuitards désœuvrés amoncelés en vrac la rassurent un rien sur son cas. Au moins, elle n'est pas la seule à avoir dérapé et l'apprendre constitue une information plutôt cool en soi. À en croire les légers couinements accompagnés de petits grommellements qu'engendre Alizée en écrabouillant une ou deux jambes par inadvertance, zéro cadavre n'est a priori à déplorer dans le lot. La plupart des fêtards ont donc dormi sur place et au vu de l'alcool ingurgité, il valait mieux, assez de victimes ont été pleurées dans cette ville pour cause de négligence et d'ignorance populaire.

Il est déjà si tard, elle doit à tout prix repérer Salomé ou la garde parentale va la déchirer en mille morceaux. Brusquement, l'hypothèse qu'elle soit peut-être repartie sans elle la pétrifie sur place. Elles avaient pourtant promis à leurs parents respectifs de rentrer ensemble. Alors, quoi ? Le code d'honneur de Salomé devrait normalement à lui seul l'avoir dissuadée de lui faire un mauvais coup de cette nature. Déjà qu'il a fallu supplier sa mère presque à genoux pour l'obtention de cette permission de sortie. Cependant, un 15 en histoire, décroché à point nommé le dernier jour précédant les vacances, a bien joué son rôle de médiateur. Grâce à lui, la balance a basculé. Le mélodrame aux trousses, son manteau reste, à l'inverse de son costume, introuvable. La guigne l'a reprise sous son aile moisie.

Résignée, Alizée, aussi glacée qu'un slip mouillé en plein Arctique, se résout à larguer les amarres sans sa fumeuse de joints préférée et son coupe-froid, chaud, lourd de sa carcasse mortifiée. Il fait frais dehors et sa tenue légère n'arrange rien à ses affaires. Le vent alpin, insensible à ses états d'âme, mord avec détachement la peau frémissante de ses membres supérieurs et de ses cuisses blafardes laissées nues à moitié couvertes de ses chaussettes hautes de sportive nord-américaine.

Alors qu'elle atteint frigorifiée l'arrêt de bus le plus proche, elle se rend compte de l'énormité de sa bêtise. Pourquoi donc attendre un bus imaginaire ? Aujourd'hui, 1er novembre, jour de la Toussaint, jour férié. Ici, bled paumé français où le service des transports laisse à désirer certains moments de l'année. C'est définitif, le sort s'acharne contre elle. Comment maintenant revenir en ville ? À pied ? C'est exclu, elle en aurait pour des heures. Dans ce cas, une unique solution s'offre à elle : son portable, unique rescapé de la sauterie, toujours lové dans sa chaussette droite. Dire que Salomé s'est foutue de sa trogne un bon bout de la soirée à cause de la grosseur tumorale créée par l'objet sur son mollet. Si elle l'avait écoutée, l'engin croupirait quelque part, niché à l'intérieur de son long regretté manteau noir. À quoi songerait sa sœur si elle la surprenait elle et sa dégaine lamentable ? La prendrait-elle pour une épave ensevelie perdue à jamais prédestinée à une vie de dépravée en puissance ? Ou penserait-elle que sa petite sœur est tombée bien bas à se laisser autant aller ? Sans doute, les deux et à raison.

Agacée d'elle-même, elle arrache le téléphone de sa cachette puis compose le numéro de Vincent.

— Oui, fillette ? demande une voix semi-endormie après trois interminables sonneries.

— Tu es où ?

— Chez moi, je ne suis pas rentré tard.

— C'est vrai que je t'ai rarement croisé…

— J'avais du boulot à rattraper. Que se passe-t-il ?

— Ça te dérangerait de venir me chercher ? Je suis bloquée au lac. Je n'arrive pas à trouver Salomé, on devait rentrer toutes les deux pourtant, et en plus de ça, il n'y a pas de bus. J'ai froid et je ne sais plus quoi faire, bredouille Alizée, confuse et aux bords des larmes.

— Où es-tu exactement ?

— Juste à côté de l'arrêt de bus près du lac.

— Okay, ne t'inquiète plus de rien, j'arrive dans dix petites minutes, quinze à tout casser. Reste où tu es, tu m'as compris ?

— Dac, à tout' et… merci, ajoute-t-elle d'une voix faiblarde.

— Tu n'as pas à me remercier.

Il raccroche.

Douze minutes montrent en main, voici qu'une Ford noire feint d'une flèche le paysage forestier paisible et continue son chemin d'une traite jusqu'à rejoindre la jeune frigorifiée.

— Monte, ordonne une voix grave. Non, mais ça ne va pas de te montrer à moitié à poil, seule dans les bois ! Tu es inconsciente ! Tu ne regardes jamais les infos ou quoi ?

134

Vincent la réprimande tandis qu'il ôte dans la précipitation sa veste pour l'en couvrir.

— Non, je ne reste pas planté devant et si tu veux mon avis, toi, tu les regardes trop ! Et puis, t'exagères, j'ai quelques fringues sur le dos ! Je te jure que c'est pas de ma faute, j'ai paumé mon manteau. Enfin... je crois plutôt qu'on me l'a piqué, rectifie-t-elle, tremblotante.

— Tes parents vont se ravir de cette nouvelle. Fais plus attention à toi, s'il te plaît.

— Oui, c'est promis... Tu veux quand même pas que je crache, non ?

— Surtout si c'est pour le faire dans ma caisse, tu peux éviter. Je me contenterai de cette déclaration sur l'honneur, lui assure-t-il, un léger rictus aux lèvres.

Une demi-douzaine de kilomètres avalés, Vincent reprend la parole l'air soucieux :

— Tu me disais au téléphone que tu ne parvenais pas à joindre Salomé.

— Oui, c'est ça.

— Depuis quand exactement ?

— Depuis que je me suis réveillée. Il y a un peu plus d'une heure. Je commence sérieusement à m'inquiéter pour elle. Elle ne répond pas sur son portable, je tombe directement sur son répondeur. Un problème de batterie peut-être ? Non ?

La perplexité palpable de Vincent transparaît dans le ralentissement de sa conduite.

— Non, je me suis mal exprimé, pardon... Depuis quand tu ne l'as pas vue ?

— Oh... Eh bien, je ne m'en rappelle pas vraiment...

Elle s'alarme lorsqu'elle remarque les sourcils froncés de Vincent dépasser de ses légendaires lunettes noires, signe éloquent de sa désapprobation.

— Qu'est-ce que tu veux dire par là ? Quelle est la dernière chose dont tu te souviens avoir fait avec elle ?

Est-ce son imagination ou sa voix se fait-elle réellement plus pressante ?

— Non, mais voilà, tu sais ce que c'est… Tu bois un verre puis deux… puis trois et tu te laisses embarquer dans des histoires pas possibles, se hasarde Alizée.

Vincent observe un temps d'arrêt comme pour digérer ses paroles désinvoltes.

— Je vais te dire une chose, Alizée… Tu n'as que quatorze ans, ne l'oublie surtout pas. Si on s'engage sur ce chemin, tu n'as même pas le droit légal de boire de l'alcool. Alors, ne joue pas à la grande si tu es incapable d'assumer les conséquences qui en résultent.

Il est drôle, lui… Assumer quoi au juste ? Il en a de ces expressions grandiloquentes, ce grand chauve à lunettes. Il devrait bien avouer qu'il y a plus grave dans la vie que le fait de picoler de temps en temps. Elle ne porte la mort de personne sur sa conscience, si on exclut l'extinction de cette poignée de neurones, bien entendu, mais c'est la seule erreur qu'elle concédera à assumer ce matin, pas une de plus.

— Ce que tu peux être rasoir parfois ! Pour ta gouverne, je vais avoir quinze ans dans quelques jours, et tu étais également de la partie, je t'ai aperçu dans ta blouse de médecin légiste sanguinaire, ne me dis pas que tu n'as rien bu, je ne te croirais pas, soupire Alizée tout en remontant la veste du rabat-joie au bord de son cou.

— Sauf que tu oublies un détail, ma petite, et pas des moindres, fait-il en détournant son regard de la route durant une fraction de seconde pour fixer le jeune glaçon à ses côtés, nous n'avons pas le même âge. J'ai dix-neuf ans, bientôt vingt, je suis majeur. Dans mon cas, la consommation d'alcool est légale, la tienne, non. Tu es encore une gamine, que tu le veuilles ou non.

Donneur de leçons numéro deux, bonjour ! Comme si la perspective d'affronter les foudres de sa mère sous motif de retard alarmant et de la perte de ses papiers (sa carte d'identité, sa carte étudiante, son argent de poche du mois, qui plus est quémandé en avance, et pour finir, sa carte d'abonnement pour le bus) malencontreusement rangés dans les poches de son manteau porté disparu, depuis peu, ne constitue déjà pas une punition en soi. Et merde merde merde. Elle est en train de se noyer dedans et elle ne fait pas les choses à moitié.

Une fois larguée au fronton du portail de sa maison, la préposée à la torture morale entreprend une percée discrète. Elle qui a tant escompté pouvoir se faufiler en catimini, les choses se corsent, car en plus de tout ce qu'elle a égaré durant cette veglione, il faut désormais y ajouter... ses clefs ! Maudit soit ce satané voleur de manteau...

Bien malgré elle, elle en revient contrainte le doigt parkinsonien à sonner à la porte de sa propre maison. Oreille tendue à l'affût du moindre son de pas derrière la porte, cœur palpitant sa panique, peau diaphane bleuâtre et frémissante. Quelqu'un approche. Elle meurt de peur à l'idée que l'ouvreuse soit sa mère, mais pour son plus grand bonheur, l'accueil est assuré par son père, la gueule encore dans le coaltar fumeux du matin. Allégée par l'annulation de la décapitation à laquelle elle vient très probablement d'échapper, elle laisse pleinement exprimer sa joie en se pendant au cou de son bienfaiteur.

— Oh là, quel accueil ! À l'avenir, je calerai plus volontiers mes congés sur les vacances scolaires, s'esclaffe-t-il, touché par cette étreinte impromptue.

— Je suis si contente de te voir !

Non, en effet, il ne peut imaginer à quel point sa présence la ravit.

— Ta mère n'est pas là, elle a eu un rendez-vous de dernière minute avec un nouvel artiste donc on se retrouve tous les deux, fi-fille, rien que toi et moi, lui annonce-t-il gaiement après avoir refermé la porte à leur passage.

— Yeaah ça, c'est cool !

— Allez, hop, va te changer, je t'emmène au resto et tu me raconteras ta soirée d'Halloween !

— C'est vrai ? Génial ! s'exclame-t-elle en bondissant à l'image d'une gamine à qui l'on vient d'offrir le plus beau des cadeaux.

La magie renfermée dans des mots anodins de prime abord est insoupçonnée. Éreintée, il y a deux minutes à peine, elle se sent désormais pousser des ailes. Jamais auparavant son père ne lui a proposé de partager de tels moments privilégiés en duo, son émotion en est d'autant plus décuplée.

Sur la route du restaurant, la voiture rase les abords du cimetière. C'est la fête des Morts aujourd'hui, ce jour traditionnel lors duquel les familles sont censées rendre hommage à leurs proches défunts. Il lui est presque sorti de la tête. Ce sera sans elle, Alizée n'ira pas se recueillir sur la tombe d'Alice. Cela fait déjà un bon nombre de semaines qu'elle ne s'y rend plus. Depuis quand exactement ? Elle ne saurait le dire, mais quelle importance ? Ce qui l'est en revanche, c'est qu'elle continue à penser à elle chaque seconde de chaque minute de chaque jour, car en définitive, qui a besoin d'un bout de pierre pour penser à un être cher ? Il n'y a rien là-dessous, sous cette terre, hormis des cendres confondues de déchets organiques froids et impalpables. Voilà ce qu'il demeure de sa moitié filiale : un tas de poussière grisâtre. « L'amour est bien plus fort que la mort », l'amitié aussi. Sans oublier le rire.

Ceci est un msg de la plus haute importance. Cessez les recherches, je suis vivante ! Assassinée par une gueule de bois, mais vivante !

Merci à tous pour cette super soirée, @+

XO

Il ne lui manquait que des nouvelles de Salomé pour l'autoriser à jouir totalement de ce déjeuner père-fille. C'est chose faite.

— Les filles, mettez-vous dans la diagonale, nous allons finir par l'enchaînement que nous avions travaillé lors du dernier cours précédant les vacances de la Toussaint. Alizée, si tu veux bien nous le présenter pour que toutes tes camarades puissent en profiter. Ce ne sera pas de trop. Vacances ne doivent pas rimer avec relâchement, ne l'oubliez pas, mesdemoiselles !

La désignée se rapproche d'un pas hasardeux vers sa professeure de danse, une femme d'âge mûr, cheveux noir de jais, sophistiquée au corps osseux, et vient se placer devant les autres danseuses. La mélodie démarre avec une Alizée plus que perplexe. Ses mouvements sont approximatifs et fouillis, cet enchaînement s'est comme volatilisé de sa mémoire, elle ne se rappelle plus rien. Les vacances à elles seules ont effacé la variation de son hippocampe cérébral.

— Stop, stop, tu n'as pas travaillé ! Moi qui comptais sur toi, je suis déçue, interrompt mademoiselle Bolowski, la zappette de la chaîne Hi-fi en l'air. L'œil perçant empreint de reproche passe en revue ses élèves. Qui se souvient de la chorégraphie ? Personne ? Il va falloir se réveiller, jeunes filles, je vous auditionne dans une semaine pour le spectacle du Téléthon. À l'heure où je vous parle, j'estime qu'aucune d'entre vous n'a le niveau requis pour monter sur scène.

Encore une qui excelle dans la dramaturgie. Décidément, cette catégorie d'humains pullule dans cette ville.

— Merci à toutes ! déclare mademoiselle Bolowski, marquant ainsi la fin du cours, je n'aurai qu'une seule recommandation à vous faire, travaillez, les filles, travaillez. Un mois seulement nous sépare de notre gala pour le Téléthon, je vous demanderai donc de vous remobiliser. Concentrez-vous sur cet objectif ! Et maintenant, filez ! Sauf toi, Alizée, j'ai à te parler.

Nul besoin de posséder cent vingt de coefficient intellectuel pour deviner l'objet de la future discussion, elle va se faire remonter les bretelles.

— J'ai conscience que tu traverses une phase très éprouvante, commence-t-elle, son bâton destiné à frapper la mesure, déposé au sol, c'est pourquoi je tâcherai d'oublier ton attitude d'aujourd'hui et ne pas t'en tenir rigueur. Cela fait deux ans maintenant que tu as intégré l'école et depuis que tu es arrivée ici, j'ai pu juger de ton niveau. Tu es douée, Alizée, je suis persuadée qu'avec beaucoup de travail, tu pourras atteindre un excellent niveau. Si tes parents sont d'accord, j'aimerais te donner des cours particuliers. Pourrais-tu en discuter avec eux le plus rapidement possible ? Nous pourrions débuter la semaine prochaine si cela te convient.

Quoi ? Pas de remontrance ? Pas de mise en garde ?

— Je leur en parlerai ce soir, mademoiselle, se hâte Alizée, stupéfaite par ce revirement de situation.

— Parfait, tu peux filer te changer.

Après une furtive révérence, Alizée se précipite dans les vestiaires où l'ambiance s'avère moins clémente.

— Je ne vois pas pourquoi on se casserait le cul comme des folles alors qu'on sait toutes que c'est Alizée qui obtiendra le rôle de Wendy, se plaint Anne qui ôte son cache-cœur.

— Moi, je n'en serais pas si certaine à ta place, t'as vu comment elle a décroché ce soir ? C'est flagrant, intervient Céline, une brune maigrelette.

— C'est vrai, ce ne serait pas normal si elle tenait encore le premier rôle ! surenchérit une autre.

— Ça ne vous dérange pas de parler de quelqu'un alors qu'elle se trouve dans la pièce ? explose Alizée dans son ras-le-bol des emmerdeurs(ses) de son entourage.

— Non, du tout, objecte Céline, fière de déclencher une salve de rires moqueurs dans la seconde qui suit sa réplique.

— Pauvres filles, c'est de ma faute si vous dansez comme des pieds peut-être ? Je ne crois pas, non. Alors, foutez-moi la paix, bande de petites connes, crache Alizée.

Un froid glacial tient compagnie au sillon de ses paroles. Ni une ni deux, Alizée rassemble ses affaires et sort en furie des vestiaires à moitié habillée, le jean par-dessus ses collants et son justaucorps. Elle préférerait crever que de rester une seconde supplémentaire en présence de ces jalouses langues de vipères. Non, elles n'arriveront pas à entacher sa soudaine bonne humeur due à l'annonce réjouissante de sa prof, elle s'en fait la promesse.

Sa gaieté l'accompagnera jusqu'au dîner où elle décidera de lâcher le morceau entre la purée de carottes et la tarte à la tomate nappée de moutarde à l'ancienne.

— J'ai un truc à vous dire.

Ses parents s'interrogent mutuellement par télépathie, déjà prêts au pire.

— Nous t'écoutons, l'encourage son père d'un signe de la tête.

Alizée pose sa fourchette et se racle la gorge.

— Ma prof de danse veut me donner des cours particuliers.

— Ah, ton niveau a baissé, je le savais, assène sa mère agrémentée d'un léger bond sur sa chaise.

Alizée la fusille du regard, outrée.

— Non, justement, c'est tout l'inverse, si tu m'avais laissée finir, tu aurais appris qu'elle trouvait mon niveau très bon et que par le biais de ces cours, elle voudrait me faire progresser. Parce que, figure-toi, contrairement à une autre, elle croit un minimum en moi !

— C'est bien, ça ! la félicite son père réincarné en démineur.

Devant l'absence de réaction de sa mère, Alizée s'apprête à apporter une précision non sans une certaine pointe d'amertume dans la voix :

— Et donc… elle souhaite vous en parler au prochain cours.

— Jeudi ?

— Tout à fait.

— J'y serai, affirme Antoine pendant que sa femme se ressert d'une portion de tarte à la tomate et à la moutarde, le nez plongé dedans.

Alizée monte dans sa chambre, immédiatement après le repas. Demeurer en présence de sa mère à la suite de cet épisode toucherait au masochisme. Entre s'abstenir d'être démonstratif et ignorer quelqu'un, il y a un monde. Énervée, elle se refait en simultané sa journée collégienne pour le moins étrange. Une désagréable impression d'essuyer une flopée de messes basses sur son passage l'a suivie toute la journée durant. Au début, elle a mis ce comportement sur le compte de sa paranoïa incurable, mais plus les heures ont défilé plus ce sentiment d'être jugée s'est renforcé. De quoi a-t-elle bien pu s'être rendue coupable pour attirer leur attention ? Le plus triste dans l'affaire, c'est que ces gens-là, ces colporteurs, comme elle les appelle, n'ont vraiment rien d'autre à faire que de casser du sucre sur le dos de leurs camarades de classe. Ah, c'est vrai que de rire de son voisin ou de sa voisine est divertissant, cela leur permet de se détourner de leur propre vie pathétique et vide. Mais qu'ils se regardent un peu avant de juger, ces blaireaux !

Pile à cet instant vengeur, un signal d'alerte sur son portable retentit. Le texto provient de Salomé.

Alors, Bab', t'aurais pas oublié de me parler de quelque chose, rapport à l'autre nuit d'Halloween ?

Gros bug cérébral. Sa paranoïa ne serait-elle donc pas si pathologique ?

Non, je ne vois pas de quoi tu me parles, mais beaucoup de gens m'ont dévisagée au collège aujourd'hui... Alors, dis-moi un peu, qu'est-ce que j'ai fait de si scandaleux ce coup-ci ?

Rien que de repenser au flou fumeux de cette fameuse soirée, elle balise à bloc. Mais le couperet symbolisé par la réception d'un prochain texto ne tarde, enfin, plus à tomber.

Eh bien, comment te dire... La rumeur court que tu as participé à un plan à trois...

Un plan à trois ? Elle doit mal comprendre. Impossible. Non, impensable ! Comment une fille dénuée d'expérience sexuelle aurait-elle la faculté de perdre sa virginité dans une partie de jambes en l'air à plusieurs ? Ce doit être une erreur, une regrettable erreur. Sans doute que ce sale type, ce diable d'un soir, a voulu se construire une réputation de gros baiseur et qu'il n'a rien trouvé de mieux pour parvenir à ses fins que de raconter cette énorme absurdité.

Qu'est-ce que tu veux que je te réponde au juste, à part que tout ce que tu as entendu, c'est de la merde ? Il ne s'est rien passé, j'ai bien dormi avec un mec, mais il n'y a pas eu de rapport sexuel. À aucun moment, il n'y a eu l'intervention d'une tierce personne, on a toujours été que deux dans cette histoire ! Ce demeuré veut se faire mousser auprès de ses potes, voilà tout !

Bip bip.

Hmm... Si tu le dis, ma puce...

Si elle ne dégote que cette pauvre réplique dans cette situation dramatique, que doit en conclure Alizée ? C'est un comble, si sa meilleure amie la discrédite, qui va s'en dispenser ?

Non, mais j'y crois pas, tu penses que je te mens, que j'ai vraiment baisé avec ces deux personnes ?

Son emportement tout à fait gérable au départ se transforme peu à peu en une colère nourrie de désillusion amicale.

C'est pas ça... Mais c'est juste que t'étais tellement bourrée et défoncée, je me suis dit que tu ne te rappelais pas l'intégralité de la soirée ! C'est une possibilité, non ? Moi-même, il m'arrive de me payer de gros black-out et pourtant je picole plus souvent que toi...

Alizée peine à croire que Salomé doute d'elle aussi ouvertement. Oui, elle n'était pas dans son état normal cette nuit-là, mais de là à affirmer qu'elle coucherait avec le premier venu, LES premiers venus, en l'occurrence, sans en conserver la moindre trace mémorielle, il ne faut tout de même pas exagérer.

Et maintenant, que répondre à ce message basique ? Alizée hésite entre l'ignorance et lui balancer un de ces textos incendiaires, capable de se graver dans la mémoire pour longtemps. Réflexion faite, elle opte pour la première solution. À quoi bon envenimer les choses en l'envoyant sur les roses ? Elle préfère abandonner, Salomé la déçoit tant par son attitude. Si une fille, se prétendant sa meilleure amie, se fie à ce point aux ouï-dire de la masse, cela signifie qu'elle ne la connaît pas si bien et qu'elle n'en vaut peut-être pas la peine.

Le lendemain, rien n'a changé. Toujours les mêmes regards curieux, les mêmes apartés moqueurs. C'est dingue ce qu'une réputation peut être aussi facile à se faire qu'à se défaire. Il y a deux jours, Alizée se fondait dans le décor, caméléon de l'invisible, et désormais, l'intégralité de paires d'yeux collégiennes se pose sur elle à chacune de ses allées et venues. C'est juste fou quand on y pense qu'une histoire cousue de fils blancs fasse autant jaser. À mesure de la succession des cours, la gêne première d'Alizée s'est mue en dérision. Pourquoi devrait-elle se prendre la tête pour des futilités ? Sa vie était bien assez compliquée, alors autant laisser la préoccupation de quolibets d'ados en quête de rumeurs sulfureuses à plus téméraires. Comme elle a hâte que ce merdier prenne définitivement fin. Déjà qu'avant cette mésaventure, elle traînait des pieds à se rendre au collège, c'est pire dorénavant, car il faudra, hélas, attendre un peu, une poignée de semaines probables, pour que le havre quotidien du confortable dédain ne l'enveloppe de ses doux bras connus réconfortants. Ce remue-ménage n'est qu'un fatras de bavardages de couloir. Dans huit jours, ces étudiants auront oublié ces ragots et dans leur sillage, Alizée elle-même. Vivement !

Dans son malheur, la jeune fille voit poindre une lueur d'espoir grâce au cours d'art dont le commencement est imminent. Alizée va pouvoir débuter son investigation. Sa comparse est déjà en train d'installer son matériel à son chevalet attitré lorsqu'elle fait son entrée dans la salle. Salomé n'échappera pas à un interrogatoire en règle que cela lui plaise ou non.

— Salut la tombeuse ! l'interpelle celle-ci de loin, la discrétion personnifiée.

— Salut...

La baba cool lâche l'un de ses tubes de peinture.

144

— Salut ? Rien que salut ? T'es vache, allez, raconte-moi tout, de l'amuse-bouche au dessert !

— En fait, j'espérais que ce soit toi qui m'éclaires puisque comme je te l'ai répété hier soir, je ne me souviens de rien ! Cette histoire me fait mal à la cervelle à force… J'avais vraiment trop bu… Je te jure, après qu'on ait dansé ensemble sur le comptoir du sous-sol, c'est le néant total.

— Tu plaisantes ?

L'exaspération commence à monter chez Alizée.

— Si j'te l'dis… Si tu peux m'aider à combler les blancs, je t'en prie, ne te gêne surtout pas !

— Je vois… Attends… Déjà, on n'est pas restées très longtemps dessus parce qu'on était tellement faites qu'on a fini par se viander, débute Salomé tout en déposant l'un de ses fins index près de son menton, l'air pensif, après on a continué à picoler avec tout le monde. Je suis allée aux chiottes à un moment donné et quand je suis revenue tu n'étais plus là, tu avais disparu des radars. Un gars m'a dit que tu voulais retrouver Charlie pour lui déclarer ta flamme et je ne t'ai plus jamais revue. Je dois en conclure que tu n'as pas réussi à lui mettre le grappin dessus…

— Alors, là, tu me poses une colle, soupire Alizée, désespérée d'entendre ses paroles nébuleuses qui fait rendre encore plus opaque ce nuage d'incertitude du dessus de sa tête.

C'est à cet instant que mademoiselle Milo décide de faire son apparition :

— Bonjour les enfants ! Aujourd'hui, je vais vous demander de me représenter l'animal qui correspond le mieux à votre personnalité propre. N'ayez pas peur de faire preuve d'originalité dans la technique employée, même si j'apprécierai de l'uniformité dans l'ensemble de votre travail.

Distraite par des gargouillements intempestifs en provenance de son estomac, Alizée commet l'acte irréfléchi de le frapper d'un poing ferme en rejet à un quelconque ménagement.

— Mais t'es folle, pourquoi as-tu fait ça ? J'ai mal pour toi ! s'indigne Salomé qui a surpris le geste malheureux de sa voisine de chevalet.

— Je ne supporte pas quand il grogne, c'est trop pas discret.

— Je veux bien, mais c'est pas une raison pour te flanquer un coup de poing, ton bide n'y est pour rien ! Et pendant que tu y es, achète-toi des bretelles, tu tires sans arrêt sur ton jean ! se marre Salomé qui regarde sa copine tenir à la ceinture le bout de denim.

— Je sais, il me soûle, je ne fais que ça de la journée, il glisse toutes les deux secondes. Si ça continue, je vais finir par l'avoir à mes chevilles ! Je pense qu'il a dû se détendre à force de le porter, ça arrive souvent.

— Et moi, je dirais plutôt que t'as vachement maigri. Regarde-toi un peu, c'est limite si je ne peux pas faire le tour de tes cuisses avec mes mains !

Alizée la fusille du regard sur les nerfs puis attrape ses ustensiles en vue de plancher sur le nouveau travail exigé.

— Alors, dis-moi, Alizée, pourquoi ce choix de la chauve-souris ? la questionne mademoiselle Milo quand arrive le tour de l'adolescente en milieu de cours faisant suite à sa promenade examinatrice dans les rangs du moindre des projets individuels de ses élèves, qu'a-t-elle de commun avec la personne que tu incarnes d'après toi ?

— Je dirais… que… c'est à cause de son côté insaisissable et incompris. C'est un animal jugé effrayant, elle se coltine une mauvaise réputation de nuisible qui, on le sait maintenant, est infondée, tente Alizée, les chauves-souris sont connues pour se cacher aux yeux des curieux, on ne les voit que très rarement, surtout en France. On sait qu'elles existent, mais on ne les croise que peu fréquemment.

— Et c'est comme cela que tu te vois ?

— Je viens de comprendre, on est en cours de psycho, c'est ça ? chuchote un grand brun joufflu sur le ton de la moquerie.

— Oui, en particulier en ce moment. Enfin, c'est une Alizée prise en instantané, dirons-nous, reconnaît Alizée en prenant soin d'ignorer l'intervention de l'étudiant à l'instar de mademoiselle Milo.

— J'aime beaucoup, tu as très bien rendu la texture de la fourrure de ta chauve-souris, continue comme cela, oui, c'est excellent, la félicite-t-elle alors qu'elle se penche vers la production de Salomé qui a choisi comme illustration de sa personnalité, le renard, pour sa ruse et l'attirance auxquelles il renvoie.

— Mauvaise réputation, hein ? ricane Salomé.

— Arrête un peu et file-moi plutôt un coup de main pour savoir qui était ce type blond déguisé en diable…

— Un blond en diable, tu dis ? Reçu cinq sur cinq, challenge accepté !

Sa voisine opine du chef à l'exécution d'un salut militaire, signe incontestable de l'acceptation de sa mission.

Mauvaise réputation injustifiée ou non, toujours est-il que ces certitudes sont bel et bien mises à mal au cours de la nuit suivante, nuit durant laquelle des images de cette perturbante soirée d'Halloween lui reviennent sous forme de flashs entrecoupés. Elle s'y voit de haut, l'Alizée de son rêve, embrasser à pleine bouche un garçon vêtu de rouge dans les escaliers défoncés délimitant le rez-de-chaussée du premier étage du squat. Leur baiser achevé, ils s'évertuent à progresser malgré l'alcool qui les fait tanguer si violemment qu'ils se cognent contre les cloisons tous les trois à quatre pas. Alizée observe ce garçon essayer d'amener son double sous emprise à l'étage, ouvrir une porte donnant sur une pièce où un matelas de deux personnes, posé à même le sol, occupe les trois quarts de l'espace. Ils ne sont pas seuls, une autre fille, brune aux cheveux longs de taille moyenne, les y attendait, adossée nonchalamment au mur d'en face. Alizée se rappelle l'avoir aperçue à l'étage du bas plus tôt dans la soirée, mais à cet instant passé, elle était déguisée en *Poison Evy*, une célèbre rivale de *Batman*. Maintenant, son seul vêtement se résume à des bouts dérisoires de tissu, plus exactement, à un petit ensemble de lingerie bleu cyan des plus seyants. Après avoir dévisagé cette fille de la tête aux pieds, l'adolescent s'en va, en premier lieu, fermer la porte de la chambre spartiate, en second, prend Alizée par la main en vue de la rapprocher de l'inconnue. Celle-ci sourit de ses belles dents blanches. Elle plane, ça crève les yeux. Sans une once de réflexion, elle dépose un baiser sur les lèvres de la pâle Alizée, cette dernière ne la repousse pas, au contraire, elle le lui rend avec une fougue qu'elle ne soupçonnait pas chez elle. Pendant cet acte fou, l'ancien diable déshabille méticuleusement, de son côté, Alizée jusqu'à ne lui laisser que sa petite culotte en coton. Ceci fait, les bouches viennent à s'entremêler et s'échanger, les mains suivent le mouvement, entraînées par la passion de ces trois corps égarés par l'effet des substances récréatives. En guise de final, le trio se laisse ensuite échouer sur le matelas tout en veillant à ne jamais rompre le contact pour autant. Le double astral d'Alizée est paralysé, confronté à cette scène à laquelle elle assiste impuissante de son perchoir, par cet amas de corps qui se lèchent, s'embrassent, se caressent et se mordillent sans relâche. Qui est donc cette Alizée remplaçante totalement déchaînée ? Ce n'est pas elle ! Depuis ces derniers jours, elle a été torturée par cet événement festif dont elle a gardé si peu de traces en mémoire et voilà qu'elle fait ce rêve, à présent, en apparence si réel. Réalité ou fantasme ? Son cœur balance.

Tout à coup, sa forme astrale se retourne sur des notes de piano parvenues au loin. D'où proviennent-elles ? A priori, c'est une chanson anglophone, Alizée connaît ces mesures, elle les a sur le bout de la langue. Mais oui, ça y est ! Et ce n'est pas n'importe quelle mélodie, c'est celle de son réveil en fond sonore, l'intro si célèbre de *Imagine* de John Lennon, qui l'appelle à sortir de ce songe presque grotesque tant il la bouleverse.

Comme attendu, la collégienne endure la matinée suivante à se triturer les méninges dans la différenciation quasi impossible d'entre la fiction et la réalité. Malheureusement, ces efforts sont voués à l'échec et comment pourrait-il en être autrement ? Ce rêve ne résout rien à l'énigme. Est-il réellement envisageable que cette partie de la nuit se soit déroulée de cette manière et que ce à quoi elle a assisté de son poste surélevé ait une parcelle de vérité ? Non, jamais elle ne serait en mesure de commettre des agissements aussi osés, aussi insensés ! Son psychisme dérangé a dû inventer ce scénario loufoque ! Elle est vierge, elle n'a aucune expérience dans ce domaine, excepté un minuscule baiser à la fin de son cycle de primaire qui ne compte pas. Elle n'a même jamais eu de petit ami. Ce n'est pas comme si une vie sexuelle faite d'expériences aventureuses trépidantes lui collait au cul, et quand bien même cette histoire s'avère fondée, comment aurait-elle fait pour oublier un truc si dingue ? Le cocktail était corsé, mais, à ce point-là… En revanche, un point d'ombre serait éclairci grâce à ce rêve dérangeant, elle comprendrait pourquoi on la dévisage avec autant d'insistance depuis deux jours. Ces « camarades » l'ont sans doute érigée au rang des pires salopes que le collège ait abritées en ses murs et il ne lui viendrait pas à l'idée de les en blâmer si ces allégations se vérifiaient, car, selon elle, il n'existe pas d'autres mots pour qualifier une nana qui couche avec deux parfaits inconnus rencontrés lors d'une soirée. Tout individu sensé l'approuverait, non ?

Le soir venu comme convenu, le père d'Alizée répondra présent en emmenant sa fille pour la première fois en deux ans au studio de danse dans le but de confirmer son inscription au cours particulier. À partir de là, Alizée se met en tête de relever son niveau et de ne plus rien lâcher jusqu'à obtenir ce pour quoi elle se bat. Elle veut ce rôle. Il est fait pour elle. Jamais elle ne le laissera à une prétentieuse comme Céline, elle y mettra un point d'honneur. La danse lui donne l'oxygène qui lui fait défaut depuis des mois, elle en a besoin pour retrouver foi en la vie. On lui a donné un bon coup de pied aux fesses, la voilà réveillée.

Son programme de remise en forme débutera dès le samedi matin par quinze minutes d'échauffement et d'étirement, s'y ajoutera ensuite une course à pied dans le quartier de trois kilomètres avec pour seul carburant un demi-litre de flotte dans le bide. Afficher ses nouvelles règles de vie à proximité du miroir de sa chambre lui vient comme une évidence. Le courage transmis par leur lecture finira de lui insuffler la force nécessaire à son but.

On peut y lire :

* Courir près de 5 km tous les soirs après les cours
* 5 séries d'abdos de 20
* Boire 3 litres d'eau par jour
* Réduire l'apport de sucre simple au max
(Dis adieu au Nutella ! Adios, dasvidania, arrivederci !)
* Perdre 3 kg
* Répéter tous les soirs ma variation

Ses cachets coupe-faim à hauteur de deux prises journalières vont enfin trouver leur utilité et si avec ce plan d'attaque, elle rate ce premier rôle, elle entre dans les ordres !

Libérés en avance de leur travail bénévole le samedi suivant, Charlie insiste auprès d'Alizée pour qu'elle vienne dépenser cette fin de journée accordée chez lui. Grignoter sa liberté, ne serait-ce qu'une minuscule partie en la présence de ce garçon, résume l'essence de sa source intarissable de bonheur actuel. Heureuse, celle-ci accepte sa proposition, poussée également par le souvenir de Salomé lui conseillant vivement de sonder Charlie au sujet du diable de la nuit d'Halloween. La discussion s'oriente rapidement sur la question dès lors qu'il prend l'envie à Charlie de consulter sur son portable les rares photos prises ce soir-là.

— Vise un peu la dégaine de Vince ! Dommage qu'il se soit tiré si tôt, regrette-t-il devant un cliché sur lequel le médecin légiste en herbe prend la pose, le signe de ralliement des fans de hard rock solidement collé aux doigts.

Pour autant, aussi divertissant soit-il, celui qui attire l'attention d'Alizée sur cette image, ce n'est pas Vince, mais un type capé de rouge affublé de cornes sur le crâne en arrière-plan. SON diable.

— Ce type-là derrière lui, c'est qui ?

— En rouge ?

— Oui…

— C'est Seb, un mec de seconde, on étudie dans le même lycée, l'informe-t-il après un bref hochement de tête faussement détaché de la part d'Alizée, pourquoi ? Il t'intéresse ?

— Non, non, du tout, répond-elle dans la précipitation, c'est seulement que… Enfin…

— Oui, dis-moi, insiste-t-il, un rien amusé par la gêne qu'il provoque chez l'ancienne pom-pom girl.

— Eh bien, après que je t'ai embrassé, est-ce que tu m'as revue ?

Charlie sourit en coin au rappel de ce souvenir.

— Malheureusement, non… Tu as disparu du paysage juste après m'avoir dit que j'embrassais comme un dieu.

— J'ai pas osé ? fait-elle, rouge pivoine.

— Si, si, mais tu cherches à savoir quoi, au juste ? Va droit au but.

— J'essaie de rapiécer les événements de ma nuit.

Les accents diaboliques pris par le rire de Charlie ne contribuent pas à rassurer Alizée quant à la finalité de cet essai de reconstitution.

— Tu te fatigues pour rien. Ce qui se passe en soirée y reste, conclut-il tandis qu'il attrape un vinyle de sa collection, les *Stones*, ça te branche ? Avec un joint aux champ' ?

Elle souffle un petit « oui » d'approbation plus pour la musique que pour la promesse d'un voyage illicite.

Ces nouvelles sensations la paniquent assez vite. Quelle impression étrange que celle de se croire en première loge d'une projection privée de l'intérieur de son propre cerveau ! C'est comme si elle était capable de discerner dans une incroyable précision la plus infime impulsion électrique que ces synapses excitées s'envoient entre elles dont percent des couleurs fantasmagoriques tantôt fumées tantôt explosives presque aveuglantes. Le son rond et humain du vinyle en arrière-fond la cajole d'une chaleur agréable, elle se sent fondre dans ce monde parallèle dont elle ignorait l'existence encore un disque auparavant. Pourquoi a-t-elle eu peur de s'adonner à un plaisir tel ? Quelle bêtise…

Bientôt, l'amicale drogue la pousse à s'allonger sur le sol. Quand elle s'exécute, elle s'étonne du fondant de la moquette qui s'est miraculeusement transformée en un accueillant matelas cotonneux moelleux à souhait. Elle regarde Charlie. Lui aussi est embarqué dans ce monde colorisé. Ses yeux écarquillés en témoignent. Son essence psychique semble s'être déconnectée, occupée à planer à des hauteurs vertigineuses inexplorées par la grande majorité de l'humanité. Il sourit. Elle lui sourit en retour.

À la suite de ce long moment d'égarement à flotter dans une sphère parallèle, Alizée se relève étourdie de cette expérience unique d'une durée indéterminée. Un rapide coup d'œil à la fenêtre suffit à l'aiguiller. La couleur du ciel... Noir... C'est le noir complet. Et merde, depuis quand la nuit est-elle tombée ? Paniquée, elle s'agite dans la mesure du possible à la chasse au portable, mais son corps encore ramolli par la matière ingérée bloque considérablement son énergie et se relaisse tomber en arrière.

— Oh, fuck, il est vingt et une heures, annonce Charlie un brin télépathe en lui tendant son portable.

Sept appels en absence. Conclusion : pour la énième fois depuis le début de l'année scolaire, elle s'est fourrée dans un beau pétrin.

— Quoi ? Oh non, je vais encore avoir des problèmes, je le sens... Ça fait chier, se désespère-t-elle.

— Tu n'as qu'à les baratiner ! Dis-leur que Salomé t'a proposé de venir faire tes devoirs chez elle, que ton portable a rendu l'âme entre temps et que tu n'as pas pu les prévenir avec celui de Salomé parce que tu ne connais pas leurs numéros par cœur. C'est simple !

Il n'y a pas à dire, le discours de Charlie est rodé comme celui d'un récidiviste au vécu gratiné, hélas, ses parents à elle gobent difficilement ce genre d'excuses, surtout sa mère dont le nez peut flairer les faux prétextes à trente-six kilomètres à la ronde.

Il fait bien de mentionner le nom de Salomé, plus jamais elle ne suivra ses conseils. « Va voir Charlie, il va t'aider à combler les trous de ta soirée. » Non seulement il n'a pas été en mesure d'infirmer ses craintes à propos de ce lycéen nommé Sébastien (les deux infimes infos récupérées), mais en plus de cela, elle s'est laissé convaincre de partager un joint amélioré. Décidément, elle peine de plus en plus à fixer ses priorités. Et sa résolution de modifier son hygiène de vie en vue de son audition ? Déjà évaporée ?

Compatissant devant l'état plus que faiblard de la jeune rousse, le guitariste l'enlace encore dans le coaltar. Le geste tendre entrepris la pétrifie de la tête aux pieds. Elle ne sait comment réagir à cette sollicitation de peur de paraître le rejeter.

Petit à petit, il ne se contente plus de tenir innocemment Alizée dans ses bras et lâche son étreinte libérant ainsi sa main gauche qui en profite pour explorer longuement la poitrine d'Alizée à travers le tissu de son haut. La stupéfaction la fige toujours. Jamais encore elle n'a été confrontée à cette délicate posture. Tout est tellement nouveau pour elle, tout va trop vite.

À l'aune de la prolongation de son dégivrage neuronal, la paume téméraire continue sa dangereuse descente. Le rythme cardiaque de la danseuse se met en branle. La surface globale de sa peau frissonne à chaque centimètre conquis. Toutefois, elle n'est pas la seule à sentir son corps bouillonner. Le souffle de Charlie se fait également plus fort et bruyant, au point de soulever quelques mèches de cheveux d'Alizée au passage de ses expirations, la faisant perdre davantage pied à l'atteinte de son cou fin et nu.

Parvenue à l'extrémité de la tunique brodée, la main s'achemine par dessous le tissu. Le cœur d'Alizée manque un battement lorsque les doigts chauds et habiles viennent entrer en contact avec la peau frémissante de son ventre qu'elle s'imagine brûlante. Elle ne parvient plus à raisonner comme elle le devrait, ses pensées sont gelées. D'un côté, la situation l'angoisse, peut-être est-elle trop jeune, trop fragile psychologiquement pour jouer à ces jeux-là, mais, de l'autre, elle nierait si elle n'avouait pas être excitée par les vives actions menées par Charlie. Elle n'ose entreprendre un mouvement. Son corps a beau s'obstiner à refuser de répondre en retour à ses caresses, elle n'objecte ni ne repousse cette main pour autant. Non, elle ne fait rien pour l'empêcher de quoi que ce soit.

Durant le court instant où Alizée remet de l'ordre dans son cerveau, les phalanges mobiles du musicien n'ont pas chômé et ont repris leur route frénétique. Après s'être attaqués au bouton du jean noir de l'adolescente, ils s'attellent désormais à en baisser la fermeture éclair.

Soudain, Alizée, dans un élan d'effroi lucide, se ressaisit :

— Non, s'il te plaît, stop ! le supplie-t-elle en plaquant ses frêles menottes sur l'ouverture impudique de son pantalon.

Navrée, elle s'extirpe de l'emprise du jeune homme et s'agenouille devant un Charlie essoufflé aux joues pourpres. Elle se sent coupable d'être à l'origine de ce malaise, si elle souhaitait couper court à ce manège, elle aurait dû le faire plus tôt.

— Je suis désolée, je crois... que c'est trop rapide pour moi, bredouille-t-elle, honteuse d'avoir brisé cette intimité naissante.

— Y a pas de soucis, je me suis un peu emballé, ma faute...

À ces mots, Alizée ramasse ses affaires à la va-vite, encore vaseuse, et sort à la vitesse d'une limace de la chambre de Charlie, un dernier « excuse-moi » aux lèvres avant de fuir dans la salle de bain pour tenter de se reprendre. Cette fuite contrainte lui brûle déjà l'estomac, mais il le fallait, car la peur de faire l'amour n'explique pas à elle seule la raison de sa résistance, il y a autre chose. À force de caresses, Charlie aurait senti sous la pulpe de ses doigts le relief des scarifications dont ses cuisses sont ornées, et cela, elle se le refuse. Dans sa hâte d'inspecter l'étendue des dégâts, elle retire son pantalon sans assurer ses arrières, mais Charlie, lui, est bel et bien là, dos à elle à lui témoigner impudique son incompréhension flagrante.

— Tu vas bien, je ne voulais pas te brusq... Bordel, mais c'est quoi ces traces ? tique ce dernier face à une Alizée tortillée sur elle-même, en culotte, à la recherche d'une cachette inespérée.

— Quoi... rien, ce n'est rien...

Troublée par la remarque, Alizée voudrait nier, se rebeller, renvoyer ce voyeur intrusif d'où il provient, à la place, l'unique secours a daigné se manifester sont des larmes. Ses plus fidèles partenaires. Elle qui a tant désiré la disparition de ces stigmates, voilà que l'on vient tout juste de les lui renvoyer à la gueule.

— Tu te fous de moi ! Là, ces marques rosâtres sur le haut de tes cuisses ! Je ne suis pas aveugle, je sais ce que j'ai vu.

— C'est rien... Ce n'est vraiment pas grand-chose. Je te jure, tu fais des histoires pour peu de choses.

Alizée se sent piégée et tirer sur sa tunique non extensible ne fera rien oublier à Charlie.

— Je fais des histoires ? répète-t-il, de plus en plus irrité par l'abnégation évidente d'Alizée, une pote au collège se scarifiait et elle avait les mêmes cicatrices que toi, mais chez elle, elles étaient localisées sur l'avant-bras. Alors, putain, s'il te plaît, ne me prends pas pour un demeuré fini.

Elle reste statufiée, ses yeux larmoyants plantés sur le sol ne sachant plus comment se justifier.

— J'ai une question à te poser, reprend-il après un léger flottement.

— J'ai peur de te répondre…

— Pourquoi tu te fais ça ? Je n'arriverai jamais à comprendre comment on peut se faire autant de mal volontairement.

La gorge de l'adolescente se serre autant que sa vision se brouille.

— C'est comme si le fait de me faire du mal moi-même me permettait de gérer ma souffrance.

— Quelle souffrance ? s'enquière Charlie, rien ne justifie qu'on se fasse du mal.

— Si… mais qu'est-ce que tu en sais, toi ?

Sa parole a dépassé sa pensée, elle aurait aimé que cette agressivité ne se dirige pas contre lui.

— Je vais réunir tes affaires à côté. Quand tu te seras calmée et rhabillée, tu n'auras qu'à me rejoindre en bas, décrète Charlie, les traits insondables.

Alors qu'il sort de la salle de bain, la culpabilité assaille la défroquée. Pourquoi n'a-t-elle pas contenu ses émotions ? Pourquoi fait-elle toujours payer aux autres son manque de discernement ? Son mal-être la ronge de l'intérieur et elle l'observe œuvrer, indolente.

Lorsque Alizée descend, Charlie est debout près de l'entrée chargé des effets personnels de son invitée, occupé à tapoter un texto. Aussitôt vu aussitôt expédié, le téléphone est renvoyé à son logement initial, la poche arrière du pantalon de son propriétaire.

— En tout cas, ça m'a fait plaisir de te voir sans les autres. Enfin… si tu pouvais arrêter de t'infliger *ça* là, franchement, ça m'arrangerait. Tu ne le mérites pas, lance-t-il sans lever le regard du blouson d'Alizée qu'il ramasse, et s'il te reprend l'envie de parler ou de te mater un film sympa ou n'importe quoi d'autre comme de partager un p'tit bédo, n'hésite pas à passer. Je suis ton homme.

Bien que ses propositions la touchent, elles la surprennent. Pour autant, a-t-elle réellement le droit de croire qu'il manifeste là un quelconque intérêt pour elle ? Peu importe. Ce témoignage d'affection d'une sincérité non évaluable soulage son cœur meurtri.

— Merci, souffle-t-elle simplement, je m'en souviendrai à l'occasion.

Par timidité, elle n'a pas osé croiser son regard tandis qu'elle le remerciait, elle jugerait néanmoins avoir entendu se dessiner un sourire dans cette voix éraillée.

Tel un gentleman débutant, Charlie la raccompagne sous le perron et la quitte en l'embrassant furtivement sur les lèvres. Il laisse échapper un petit rire en constatant la vive couleur fuchsia que son baiser a déclenchée sur les joues à présent enflammées d'Alizée. Elle, de son côté, ne sait plus quoi faire de son corps, mais elle s'en fiche, car ce soir aussi en retard qu'elle peut l'être, la joie semble avoir investi sa poitrine.

Sa génitrice s'appliquera à garder les montagnes russes émotionnelles en éveil. À peine Alizée aura franchi le seuil de son domicile, la mine radieuse, que sa mère lui sautera dessus pour l'abreuver de ses questions.

— Mais que faisais-tu ? Ne te voyant pas arriver, je n'ai pas cessé d'appeler le refuge ! Ils m'ont dit que tu étais partie il y a des heures ! Tu te rends compte de l'heure qu'il est ? Vingt et une heures trente, explose-t-elle, un doigt furibond sur l'écran de sa montre, où étais-tu, bon sang ? Je t'avais pourtant prévenue que j'attendais de toi un comportement irréprochable ! C'est de cette manière que tu obéis à ta mère ?

— J'ai fini avant la fermeture parce qu'ils devaient faire l'inventaire, on les gênait plus qu'autre chose. Un… ami bénévole m'a proposé d'aller chez lui, j'ai accepté, bafouille-t-elle.

— « J'étais chez un ami », tu crois vraiment que je vais me contenter de cette excuse ? fulmine-t-elle de plus belle. Tu entends, Antoine ? Ta fille était *chez un ami* ? Et lequel au juste ?

Le père d'Alizée, bras croisés, adossé contre le chambranle de l'arche ouverte conduisant au salon, arbore un visage fermé.

— Laisse-la parler, voyons, Julia, je suis certain qu'elle va nous donner une explication valable, la défend-il sur un ton compatissant invitant sa fille à poursuivre sur sa lancée.

Alizée se sent prisonnière, empêtrée dans les filets à grosses mailles jetés par ses deux géniteurs. Que dire ? L'excuse de Charlie ne passerait pas, elle manque de subtilité, surtout que, maladroite comme elle est, elle risque de s'emmêler les pinceaux durant la récitation de cette petite histoire bidon. Autant éviter que faire se peut cette déconvenue.

— J'étais chez Charlie, un des amis de Salomé et de Vincent. Il travaille réellement au refuge avec moi, je ne vous mens pas. Bref, on était à l'étage et le téléphone fixe du rez-de-chaussée s'est mis à sonner. Faut croire qu'il s'est beaucoup trop précipité parce qu'il est tombé dans les escaliers. Vous l'auriez vu à l'œuvre, il a carrément fait des roulés-boulés ! Il avait super mal à la cheville, invente-t-elle dans la hâte sous le regard acerbe de sa mère, du coup, on a préféré aller aux urgences par mesure de précaution. Mais sur place, on a dû attendre une plombe, vous savez ce que c'est, et j'ai… j'ai pas du tout pensé à vous appeler pour vous prévenir. J'en suis désolée, pardon.

Sa longue tirade terminée, Alizée scrute les expressions faciales de ses deux parents à la détection d'un froncement de sourcils ou d'une quelconque manifestation qui la renseignerait sur leur appréciation de la situation. La perplexité dubitative qu'elle y décèle est loin de l'encourager.

— Quand est-ce que cela s'est produit exactement ? Et d'où sort ce Charlie ? C'est la première fois que j'entends parler de lui, lui demande Julia, des accents secs dans la voix.

— Euh… vers dix-neuf heures ? Je n'ai pas regardé, tu sais. Et Charlie, ben, je viens de te le dire, c'est un pote de Salomé et de Vincent qui travaille aussi en tant que bénévole au refuge. Il n'y a rien d'autre à ajouter.

— Dans ce cas, comment y êtes-vous allés ? poursuit sa mère, parce qu'ôte-moi d'un doute, ce garçon n'est pas majeur ? Ni lui ni toi n'êtes en possession du sésame nommé permis de conduire ! Il est bien mineur tout comme toi, n'est-ce pas ?

Alerte rouge, Alizée panique. Il faut que ses neurones carburent et vite.

— Elle vient de te dire qu'il s'était endommagé la cheville alors, majeur ou non, il ne serait pas allé bien loin au volant d'une voiture.

Merci Papa.

— Je… Euh, non… enfin, je veux dire, bien sûr qu'il est mineur, lui aussi ! Oui, voilà, du coup, c'est lui qui a appelé un taxi pour nous y amener et en repartir !

— Un taxi ! répète sa mère, les yeux révulsés par la colère, mais ce jeune homme n'a pas de parents ? Il n'y a personne chez lui au beau milieu du week-end ? Ma parole, combien y a-t-il de gamins livrés à eux-mêmes dans cette ville ? Tu aurais dû nous prévenir au lieu d'agir sans réfléchir, Bon Dieu ! À quoi pensais-tu ? C'est incroyable !

En temps normal, Alizée piquerait un phare devant le mépris insupportable qu'exprime sa mère envers ses amis, or, pour l'heure, elle se satisfait de cette stratégie de repli mise sur les rails qui lui permet de ne pas s'aventurer à une crise sous peine de perdre son avance acquise. Ses futures permissions de sortie en dépendent.

— Non, sa mère était en réunion et son père est en voyage d'affaires ! Pourquoi tu t'énerves toujours ?

— Quelle question ? Parce que je suis ta mère ! Mais comment veux-tu que des enfants se construisent dans un environnement aussi instable ? Les enfants ont besoin d'autorité, d'un cadre, quelque chose de solide pour les maintenir, peste-t-elle à l'adresse de son mari.

Plus la conversation s'écoule, plus Alizée s'émeut de sa propre aisance à mentir. Comble du bonheur, ses parents, au départ, si soupçonneux, finissent par croire en la véracité de ses propos. Plus c'est gros, mieux ça passe, dit-on. Stupéfiant !

— Pourrait-on apprendre quel âge a ce Charlie ? interrompt brusquement le père d'Alizée.

— Seize ans, je crois bien.

— Tu crois ? Tu vas chez des gens dont tu ignores l'âge, toi.

— Han, mais qu'est-ce qu'on en a à foutre qu'il ait quinze, seize ou dix-sept ans ? Quelle importance ça fait ?

— Tu parles autrement à ton père et tu changes de ton immédiatement ! Il a raison, c'est important pour nous, tes parents, d'avoir cette information en notre possession parce qu'un jeune homme de dix-sept ans n'a pas à fréquenter une adolescente de quatorze ans !

— Mais vous vous entendez ? Je vous ferai dire qu'on n'est plus au Moyen-âge et on ne se *fréquente* pas, s'il n'y a que ce détail qui vous intéresse.

— Je vais être honnête avec toi, Alizée, continue son père, tu n'as que quatorze ans, il serait plus prudent et sain pour toi de côtoyer des adolescents de ton âge.

— J'aurais quinze ans dans deux petites semaines alors c'est du pareil au même…

— Là n'est pas la question, cela ne me plaît pas que tu ailles seule chez un garçon que tu connais à peine.

— Et bien, la prochaine fois, j'irai avec Salomé ou Vincent ! Ça vous va ?

— C'est mieux, oui, concède son père.

— Vous avez terminé votre interrogatoire ? Je vais faire mes devoirs, si vous avez besoin de moi, vous savez où me trouver, conclut Alizée, heureuse d'avoir trouvé une échappatoire potable contre laquelle ils ne rouspéteront jamais.

C'est avec une conviction aux abonnés absents qu'elle ouvre son cahier de SVT. L'ironie du sort fait qu'elle tombe sur la leçon traitant du rôle des gamètes. Ces satanés gamètes reproductifs responsables de tant de conneries irréparables. Elle se maudit d'avoir penché pour la scarification comme exutoire, sachant cela, Charlie n'acceptera jamais de la considérer comme une fille bonne à aimer. Pour lui, elle restera la fille étrange quelque peu instable, pour elle, il restera un fantasme d'amour déçu.

160

L'aube commence d'abord à éclairer de ses basses lueurs les cheveux rougeoyants de la collégienne puis sa peau, ensuite son visage au rythme de sa lente ascension. Bientôt, il finit d'accomplir son œuvre à l'éveil de la dormeuse assise à son bureau. La gueule enfarinée, la bouche entrouverte gobeuse à moucherons, Pietra couchée en boule sur sa trousse d'écolière, une copie du dernier DS de biologie collée sur la joue et les paupières mi-closes font d'elle un tableau de beauté matinale d'une grande splendeur.

Elle est encore en train de plancher sur un exercice de maths quand la sonnerie du téléphone fixe survient peu avant onze heures, quelle que soit la nature de ce coup de fil, il en résultera un claquage de porte en bonne et due forme. L'hypothèse d'un acte II de ce bon vieux drame conjugal se profilerait-elle à l'horizon ?

« À table ! »

— Spaghettis à la bolognaise végétale, annonce fièrement son père quand Alizée apparaît dans la cuisine.

— On mange dans la cuisine ? J'ai bien entendu, tu as parlé de végétal ? s'enthousiasme Alizée, incrédule.

— Oui, je l'ai déniché à la coopérative bio et je suis tombé dessus, elles m'ont intrigué. J'ai remarqué que tu mangeais peu, j'ai voulu réveiller ton appétit en te préparant cette trouvaille. On va voir ce que ça donne.

— On va encore manger seuls si je comprends bien, grogne Alizée, au constat de leurs deux assiettes, et c'est quoi l'excuse de ta femme, cette fois-ci ?

— Ma femme comme tu dis, a téléphoné en fin de matinée pour prévenir d'un appel urgent reçu à la galerie qui allait la contraindre à déjeuner sur place et pour ta gouverne, elle est également ta mère, nous sommes deux dans cette galère, ma fille, rectifie-t-il, le regard toutefois fuyant.

— Ouais, je suis au courant, ce serait difficile de l'oublier… La galerie est ouverte le dimanche ? Première nouvelle ! Qu'est-ce qui peut bien l'amener à y rester ? Une toile a fait un AVC ? Les urgences n'existent pas dans son métier.

Son commentaire assassin craché, elle pique sa fourchette dans une boule végétale et la fourre dans sa bouche.

— Selon ses dires, elle est partie manger en ville avec son associé.

— Avec son associé, vraiment ? Et toi, ça ne te dérange pas qu'elle préfère aller au resto avec son collègue plutôt que de profiter d'un dimanche chômé en famille ?

— C'est un repas d'affaires, mon petit Mistral, rien de plus, rien de grave, se défend-il.

Il n'en croit pas un mot, la raideur de son cou le trahit.

— Mouais, à d'autres, c'est ce que l'accusé dit toujours dans ces cas-là. C'est un grand classique ! « Oui, je vais rentrer tard, mais ne t'inquiète de rien, mon amour ! Je t'aime, tu le sais... Hein que tu le sais » ! Plus personne ne gobe ça à part toi.

— Maaaange tes spaghettis, veux-tu ! Ça refroidit à vue d'œil !

Alizée s'exécute, mais le manque de certitude qu'affiche son père ne la trompe pas un seul instant. Sa mère s'en va fricoter ailleurs avec sa liaison extraconjugale sans s'inquiéter de comptes à rendre handicapants et, eux, de leur côté, ils devraient s'y plier sagement ? Quel monde répugnant !

Son premier cours particulier s'est passé à merveille. Certes, plus exigeant qu'à l'ordinaire par le fait d'être seule face à l'expertise de mademoiselle Bulowski, mais productif pour le moins. « Dégage-moi ce buste », « l'en-dehors, prends garde à ton en-dehors », « ton port de tête ! Plus haut ce menton ! », « plus ample ton rond de jambe », « Maurice Béjart disait : "la glace est mensongère", libère-toi de ton reflet, danse ! » pour finir par lui intimider lors du départ : « La beauté de la danse réside en l'absence de manifestation de sa difficulté. Personne ne doit se rendre compte de la somme du travail déployé en amont lorsque tu danses. Cela doit leur apparaître simple comme bonjour et accessible. »

Alors quand Charlie lui a suggéré de le rejoindre pour la troisième fois en une semaine (le second rendez-vous, un film au ciné dont elle a oublié le titre tant son attention a été distraite, a consisté en la gestion plus ou moins réussie de son stress), elle ne s'est pas fait prier. Fait étrange, la découverte de sa scarification ne l'a pas effrayé outre mesure. Jamais il n'a hésité à la recontacter.

Son cours l'a vidée, elle a besoin d'un énergisant. Au fil de ces jours, une certaine dépendance s'est insidieusement installée dans le for intérieur de la jeune adolescente. Et à l'instar d'une camée en manque, Alizée en est réduite à courir à toutes jambes le long du chemin dans le seul et unique but d'obtenir sa dose quotidienne, excepté que, dans son cas, l'héroïne a pris la forme d'un être humain de sexe masculin à l'apparence plus que séduisante.

Chaque moment passé en sa compagnie la délecte de plaisir. Il faut dire qu'ils sont si bien ensemble à parler des heures durant à se raconter tour à tour leurs courtes vies respectives. Celle de Charlie, pourtant si jeune, n'a rien à envier à celle de nombreux adultes. À seize ans tout juste, il a déjà parcouru la moitié des continents, rapport à ses parents, fans de voyages et d'expéditions, qui ont tous deux fait des pieds et des mains pour transmettre leur passion commune à leur fils en le conviant lors des grandes vacances d'été à découvrir un nouveau pays différent de celui de l'escapade précédente. Et contrairement aux vacanciers lambda, ils fuyaient les hôtels tout confort, préférant les campings sauvages et l'hébergement chez l'habitant dans l'idéal.

Pour une fille comme Alizée qui n'a jamais mis les pieds hors des frontières françaises, écouter le récit d'une vie si riche et palpitante que l'est celle de Charlie lui donne, d'un bord, l'impression délicieuse de vivre ses sensations par procuration, mais, de l'autre, lui renvoie une image cruellement barbante de la sienne. À sa décharge, une prérogative contre laquelle ils ne luttent pas à armes égales lui fait défaut. Pour prétendre à un style de vie semblable au sien, l'argent, l'oseille, le flouz, la thune, le pognon ou quel que soit le nom donné à ce précieux accessoire est indispensable ! On peut dire ce que l'on voudra, mais ces deux adolescents-là ne sont pas nés égaux sur ce plan, même si, de toute évidence, les parents d'Alizée sont loin d'être de pauvres smicards, il leur serait impossible d'offrir à leur fille un train de vie comparable. Leurs maigres placements bancaires s'évanouiraient à couvrir pareille excentricité.

— Hé, cap ou pas cap ?

Par le biais de cette question, Charlie sort d'un coup Alizée de ses rêveries peuplées de liasses de billets imaginaires.

— Hein ? Tu m'as parlé ?

Le guitariste passe la tête au-dessus de la table de bar et réitère sa demande en prenant soin de détacher les mots :

— Je vois... La Belle au Bois Dormant n'écoutait pas ! Cap... Ou pas cap...

La désignée recule son postérieur sur son tabouret, un tantinet anxieuse.

— Arrête... Tu me fais flipper. Avec toi, j'ai toujours l'impression d'être en équilibre sur un fil. T'es un grand malade, j'espère que tu en as conscience !

— Oui, pleinement. Mais pourquoi as-tu peur ? Il n'y a aucune raison, ma belle Punkette, rigole Charlie avec sur les lèvres son sourire en coin qui lui appartient.

— Bon... Cap, alors, cède-t-elle, à ses risques et périls.

— OKAY ! Alors, fait-il en feignant de réfléchir, cap de partir de ce bar sans payer ?

À voir sa posture teintée de détermination et de provocation, ce cinglé est tout ce qu'il y a de sérieux.

Il ne lui laisse pas le temps de peser le pour et le contre de ce pari à relever et en moins de temps qu'il n'en faut pour flanquer un coup de pied au cul d'un gnome, elle le regarde se lever avec force et défi, marcher ensuite d'un pas léger assuré vers la porte battante façon saloon comme si de rien n'était, pour finir par la franchir et disparaître derrière. Le salaud l'a plantée là comme une potiche. Une œillade à droite, des clients rient de bon cœur, une œillade à gauche en direction du comptoir, le barman a disparu. C'est maintenant ou jamais ! Illico presto, elle se retrouve dehors à courir à grandes enjambées sans se retourner jusqu'au coin de la rue où Charlie la surprend et l'enlace hilare. À un moment donné, elle a bien cru entendre un « hé mademoiselle ! » lancé à son encontre, mais peut-être était-ce dû à son imagination. Qu'importe, elle est hors de danger aux côtés de ce garçon qu'elle aime tant. Ils demeureront collés l'un à l'autre un bon moment avant qu'ils ne soient contraints de se séparer encartés dans leur vie d'adolescents parasitée d'obligations liberticides. Et demain, c'est le jour J pour Alizée.

Le réveil du lendemain s'inscrit sous le signe de l'angoisse d'affronter la fameuse audition pour la distribution des rôles du spectacle du Téléthon qui, en raison du caractère officiel et de l'affluence des candidatures, se déroulera dans les locaux du Conservatoire, à l'auditorium.

Après un petit déjeuner chimique composé d'un coupe-faim ainsi que d'un cachet de vitamines, là voici fin prête à affronter ce nouveau challenge. Son kilomètre couru et sa douche expédiée, elle saute encore le repas du midi, préférant aller s'entraîner une dernière fois avant que les auditions ne démarrent sur les coups de treize heures. Malheureusement, elle n'est pas la seule à avoir eu cette brillante idée, un petit groupe de filles sont déjà en pleine variation lorsqu'elle pénètre dans le théâtre du Conservatoire. Tant pis, plan B : elle va quémander au type de l'accueil la mise à disposition d'une salle. Elle fait mouche, il accepte.

Douze heures cinquante, elle revient sur ses pas à la suite de sa mise en jambes, le cœur battant, et franchit pour la seconde reprise les portes du théâtre où les élèves de son cours, assises en nombre sur les sièges en velours rouge bordeaux, patientent, rêvant que le coup d'envoi des auditions soit officiellement donné.

Les filles défilent comme des automates devant une Alizée qui, en dépit de son trac galopant, commence à trouver le temps long. Toujours les mêmes gestes, les mêmes attitudes sur la même musique répétitive. Voir quatre fois une variation, aussi courte soit-elle, sans aucune variante passe encore, mais dix-neuf, le supplice est atteint.

« Alizée ! »

C'est son tour. Enfin ! Elle va pouvoir montrer ce dont elle est capable et prouver à ces garces installées au premier rang qu'elle mérite d'obtenir le premier rôle féminin de ce spectacle. La poitrine au bord de l'implosion, elle gravit les quelques marches sur le côté de l'estrade, unique obstacle la séparant de la scène. Encore une longue inspiration salvatrice pendant laquelle elle prend place dans l'attente des premières notes de la mélodie, elle se lance.

Sa confiance en ses capacités la porte le temps que dure sa prestation. Arabesque, saut de chat, double pirouette, port de tête élégant, orteils tendus, en-dehors à bloc, ports de bras légers, soutenus et gracieux, piqué tombé pas de bourré… Grâce à son regain d'énergie fournie en vue de ce jour fatidique, aucune faute impardonnable ne sera commise lors de son passage. Elle peut souffler.

Et ses efforts paieront. Sa jouissance explosera en découvrant les mines défaites de Céline et de sa clique à la divulgation des attributions des rôles, car, si Alizée a l'immense bonheur d'hériter de celui de Wendy, Céline, elle, devra se contenter de celui d'une acolyte du capitaine Crochet. Tout compte fait, il y a une justice karmique dans ce bas monde, les croyances de Salomé ne tombent pas de nulle part. La ballerine tourbillonne de joie, elle va pouvoir attaquer l'apprentissage de ses variations sereinement.

Une ombre, tout de même, assombrira sa joie. Accaparée par les répétitions dont le rythme s'intensifiera dû à la place que prend son rôle dans la hiérarchisation des personnages, mais également, par le collège tantôt pour des devoirs en augmentation constante tantôt par les longues révisions de pré-contrôles, elle sera forcée de reconsidérer ses priorités. Si Charlie lui porte un minimum d'intérêt, il lui pardonnera.

Les lucioles brillent de mille feux cette nuit. Une centaine, toutes plus lumineuses les unes que les autres. C'est la nuit des lucioles. On considérait cet événement exceptionnel de par la rudesse du climat saisonnier peu propice. Chaque mi-novembre, où, d'ordinaire, les insectes se tiennent au chaud à l'abri, tous sauf les lucioles y font exception et sortent de leur inertie pré-hivernale pour converger en bloc autour du grand lac. Alizée a failli occulter cette date de sa mémoire alors qu'il y a un an, elle aurait pleuré à chaudes larmes de manquer ce phénomène. La première année, elle s'y est rendue avec ses parents ainsi que sa sœur puis ensuite, seulement avec Alice. Alizée frissonne à cette unique pensée. Sa sœur, tout la ramène toujours à sa sœur. C'est inévitable.

— Tu as froid ? Tu trembles, s'inquiète Charlie, déjà prêt à ôter son perfecto pour en recouvrir les épaules de sa frêle copine.

— Non, non, c'est juste que ça me fait penser à ma sœur, on venait assister ensemble à la danse des lucioles. Penser à elle me déprime toujours. Je n'arrive pas à penser à elle sans qu'un vide m'habite. Elle aurait dû être là aujourd'hui, à mes côtés…

Sans prendre la peine de prononcer un mot, Charlie serre Alizée dans ses bras solides et commence doucement à la bercer.

— Je suis heureux que tu me parles un peu d'elle, lui susurre-t-il à l'oreille, son mouvement de balancier en toile de fond. Je n'ose jamais aborder le sujet avec toi, j'en discute parfois avec Vince, mais avec toi, je bloque. C'est un sujet très délicat, j'ai peur d'être grave à côté de la plaque, de dire n'importe quoi ou pire, de te sortir une banalité. Je m'en voudrais tellement de te faire du mal, tu sais.

Les larmes montent aussitôt aux yeux d'Alizée. Trop d'émotions contradictoires la submergent.

— Excuse-moi… je… je ne soupçonnais pas que ça t'intéresserait. Comme sujet de discussion, il y a mieux. La mort fait peur aux gens et puis je ne veux pas t'accabler de mes problèmes, bredouille-t-elle dans le creux de l'épaule de Charlie.

— Tu déconnes ? Je veux tout savoir de toi… Ton passé, tes goûts, tes passions, tes intérêts, tes pensées, tes angoisses… Tout… Je n'ai pas ton vécu donc je ne te mentirai pas en prétendant savoir la douleur que tu dois éprouver depuis des mois, mais je suis capable de t'écouter… Sérieusement, je serais un petit ami merdique si je taisais la mort de ta sœur ! s'exclame-t-il sur un ton un tantinet trop brusque.

Une vague instantanée de chaleur vient emmitoufler Alizée dans la seconde qui suit cette douce révélation du cœur. La justesse et la sincérité de ses mots la font sourire. Timidement, peut-être, mais sourire tout de même. Une ébauche causée par un terme anodin lorsque la solitude nous accompagne, mais qui prend une grande importance au moment où l'on aime. « Petit ami », elle ne l'a pas rêvé, il l'a prononcé.

Sur le chemin du retour, son téléphone portable sonne. Salomé. À coup sûr, elle l'appelle pour l'engueuler et elle aurait ses raisons. C'est pour dire, depuis que Alizée a commencé à fréquenter Charlie, elles se sont parlé quatre fois grand maximum.

« Alors comment se porte mon petit Casper ? Pas trop dur de faire la morte ? » retentit la voix pleine de reproches de Salomé à son oreille dès que celle-ci se décide à décrocher.

— Okay, je l'ai mérité, reconnaît Alizée en faisant un rictus d'excuse à destination de Charlie.

— Bien sûr que tu le mérites. T'abuses, ça fait une semaine que j'envoie des textos dans le vide. Et me dis pas que tu ne les reçois pas, j'ai activé l'option « accusé de réception » alors pas d'entourloupe, jeune impertinente !

— Mais ce n'était pas dans mes intentions. Pardonne-moi, Sally, j'ai zappé trop de choses avec l'audition, l'intensification des répét', le collège, etc., je n'ai pas une seconde à moi.

— Je comprends surtout que tu n'as pas de temps à me consacrer !
À moi, ta meilleure amie ! Les amis sont là pour nous aider à supporter
la lourdeur du quotidien ! Sers-toi de moi, oh oui, sers-toi de meuhaa !

Elle ne peut s'empêcher de rire en vis-à-vis de la délirante
exubérance de Salomé, ce qui n'échappe pas à Charlie.

— Qu'est-ce qu'a dit la folle pour te faire rire ? demande-t-il trop
près du micro.

— J'ai entendu une voix d'homme ! Qui est à tes côtés ? J'ai cru
reconnaître celle de Charlie !

— Oui, bon, je dois y aller, je te rappelle dans une heure pour en
parler, d'accord ?

— Pourquoi ? J'ai raison, c'est ça ? Tu ES avec lui ! Passe-le-moi,
s'te plaît, que je lui livre un peu le fond de ma pensée ! J'y crois pas,
vous êtes de vraies sangsues !

— On ne peut rien te cacher, Sally ! Toujours est-il que je te
rappelle tout à l'heure, je t'en fais la promesse.

— Des promesses, encore des promeeehééééesses, chante Salomé à
tue-tête à l'autre bout du fil.

— À tout'…

Alizée raccroche, submergée par la culpabilité.

— Qu'est-ce qu'elle voulait ? s'enquière Charlie, plus pour la
forme.

— Elle m'en veut pour faire court…

— Je suis sûr que tu exagères. Elle t'en voudrait d'avoir fait quoi ?

— Parce que je me suis éloignée d'elle, je la néglige. On l'a mise
de côté, reconnais-le, du coup, elle se sent délaissée, fait Alizée,
peinée.

— Oh, quelle gamine… Même si j'admets qu'on se côtoie
beaucoup plus ces derniers temps, et ce n'est pas pour me déplaire, ça
reste tolérable ! Trois personnes, c'est trop pour une relation. Elle n'a
qu'à se trouver une copine, ça fait un bail que je ne l'ai pas vue en
couple. Elle fait un de ses caprices de jalouse, ne rentre pas dans son
jeu… Ah et j'oubliais, bon anniversaire ! En avance, je sais, mais au
moins, je suis certain d'être le premier, lui annonce-t-il.

170

La main douce de Charlie la rend toute chose, celle-là même qui fait passer une mèche de ses cheveux derrière son oreille.

Comment l'a-t-il deviné ? Lui aurait-elle lâché l'information sans s'en rendre compte durant l'une de leurs multiples conversations au téléphone ?

— C'est l'autre plaintive qui a cafté, dénonce-t-il en bon télépathe, alors, tu vois, elle t'en veut moins que tu ne l'imagines.

Ses vœux prononcés, il se retire après lui avoir souhaité la bonne nuit d'un langoureux baiser dans la rue jouxtant la maison d'Alizée, laissant la jeune fille accueillir un gigantesque soleil venu irradier sa poitrine.

15 novembre, date de ses quinze ans. Si elle s'écoutait, elle resterait couchée, blottie dans la tendre chaleur de sa couette. Ce serait si plaisant. Quel plus bel anniversaire que celui bercé au pays des rêves ? Surtout que rien ne la retient véritablement de réaliser cet agréable fantasme oisif vu que cette année, sa date d'anniversaire a le bon goût de tomber un dimanche. Quel doux hasard ! Pas d'obligation scolaire ou extrascolaire en ce jour saint. Elle n'aura qu'à descendre pour le déjeuner, lequel se terminera évidemment par un gâteau, son préféré, un fondant au chocolat nappé d'un glaçage vanillé parsemé de petites boules sucrées multicolores comme chaque année depuis ses cinq ans, ensuite, elle déballera ses cadeaux et remontera ni vu ni connu dans sa chambre pour ne réapparaître que le lendemain matin sans que personne n'y voie d'objection. Il n'y a pas à dire, ce programme lui plaît.

Un coup d'œil furtif vers l'écran sombre de son réveil à cristaux liquides suffit de finir de la convaincre. Neuf heures trente-trois seulement. Parfait. Elle ne peut donc craindre de se rendormir, surtout qu'elle ne crachera pas sur une petite heure de sommeil supplémentaire de récupération.

— On maaaaange !

Alizée manque de peu de claquer d'un infarctus. Son cœur de souris tambourine furieusement dans sa poitrine. Elle n'a pas dormi, non, elle a carrément sombré dans le coma. Il est midi et demi. Comment a-t-elle pioncé autant alors même qu'elle s'est couchée avant minuit la veille au soir ? Une histoire d'inconscient sans nul doute. Cette journée a dû tellement la fatiguer d'avance que son organisme en est arrivé au stade de crier son besoin d'inertie la plus totale.

Ni une ni deux, Alizée saute de son lit, enfile ses gros chaussons Salamèche et descend quatre à quatre les escaliers.

— C'est trop te demander que de t'habiller le jour de ton propre anniversaire ? râle sa mère à l'amabilité communicative après avoir vu sa fille se ruer dans la salle à manger en pyjama.

— C'est mon anniversaire, je décrète le droit solennel de m'habiller comme bon me semble ! Oui, dans un sac si ça me chante et de me la couler douce, na, rétorque Alizée d'humeur puérile, irritée par l'attitude plus que désagréable de sa mère.

— Tu as bien raison, mon petit mistral, approuve son père en lui déposant un baiser sur le front, et passe un merveilleux anniversaire...

— Heureusement que tu es là, toi, lui glisse-t-elle.

Qu'est-ce que cela peut bien changer à l'affaire qu'elle soit en pyjama ou en robe de soirée ? À ce qu'elle sache, la reine d'Angleterre ne va pas débouler dans leur salle à manger ! L'unique susceptible de se sentir offensé par sa tenue ici pourrait être, à la rigueur, ce bon vieil appareil photo, vétéran de moult événements familiaux, spectateur involontaire de cette pièce de théâtre navrante. Mis à part lui, personne.

Au fil du déjeuner, Alizée se rend compte de son erreur. Sa mère a pensé à elle, elle le montre mal, certes, mais Alizée le perçoit dans la conception du repas intégralement élaboré de l'entrée au dessert à la prévision de la satisfaction de ses goûts. Alors, si ça, ce n'est pas de l'amour, qu'est-ce que c'est ? Comble du bonheur, le plat principal est végétarien, sa mère a passé outre sa réprobation face aux bouleversements récents de l'alimentation de sa progéniture. Alizée est aux anges.

La fin du repas se déroule aussi agréablement que faire se peut. Un gâteau (une merveille), quinze bougies, trois cadeaux (un CD de compilation de morceaux punk, un roman fantasy et une robe rouge dos nu), une enveloppe remplie de sous envoyée de la part de tante Jackie et tonton Riri et LA photo avec retardateur (impossible d'y échapper) viennent parfaire le tableau des réjouissances. Avec cet argent, elle va pouvoir se faire plaisir et investir dans une platine. Voici des mois qu'elle rêve de s'acheter des tas de vinyles de rock éclectique se faufilant entre du rock punk au grunge, du rock classique au rock psychédélique d'artistes comme *les Bérurier noir, Noir désir, David Bowie, Iggy pop* et leur clique. Bien sûr, le passé ne l'a pas quittée du repas, elle n'a eu de cesse de fixer le vide fantomatique de cette quatrième chaise, celle où Alice s'asseyait habituellement. Toutefois, le pire ne s'est pas présenté, seule la nostalgie s'est invitée à leur table, délaissant exceptionnellement la mélancolie pour ce midi de festivités.

Mais alors qu'elle s'apprête à remonter dans son antre d'adolescente, le ventre repu de bons mets (elle ne mangera pas ce soir ni demain matin), ravie de récupérer son lit, son portable se met à sonner. C'est Salomé.

— BON ANNIIIV', MA BELLE ! hurle-t-elle à l'autre bout.

— Merci, tu es trop chou… Dois-je comprendre que tu ne m'en veux plus ?

Les multiples tentatives d'Alizée pour joindre son amie la veille au soir se sont conclues par un abandon forcé.

Un blanc étudié plane.

— Ça dépend de ta réponse à ma prochaine question, crinière de feu ! Dis-moi, qu'est-ce que tu as prévu en ce jour exceptionnel ?

— Bah écoute, pour te dire la vérité, je viens de sortir de table et je comptais végéter l'excédent de ma journée dans ma chambre. Pourquoi ?

— Non, mais t'es naze ! C'est un crime de lèse-majesté que de rester enfermé le jour de son propre anniv' ! Point de ralliement : devant le bar de Mich' dans une heure tapante ! Ce n'est pas une question, c'est un ordre ! Je ne te laisse pas le choix, tu me le dois bien…

Aussitôt décrété aussitôt raccroché. Cette fille perd la raison de jour en jour.

Sa mère va se réjouir, elle va devoir s'habiller qu'elle le veuille ou non. L'horloge affiche déjà quinze heures, mais qu'est-ce que cela peut faire ? Rien, si on se fie au célèbre adage du « mieux vaut tard que jamais ». Vingt minutes lui seront nécessaires à sa préparation. Un jean, un tee-shirt moulant *Sex Pistols* pris (ou volé, au choix) par Salomé au centre commercial, un long gilet à grosses mailles, un peu de mascara sur ces longs cils, du rouge à lèvres mat sur les lèvres et le tour est joué. Tandis qu'elle juge de son allure dans le reflet de son fidèle miroir à pied face à son lit, une évidence la heurte. Un changement s'est opéré en elle de manière frappante. Rien que ses cheveux désormais lisses (que l'inventeur du lisseur soit béni !), son visage dont saillent de hautes pommettes et sa silhouette, tous deux nettement affinés, rendent avantageux son physique. Ce jean dans ce nouveau corps sculpté, trop serré il y a encore quelques mois, lui moule aujourd'hui impeccablement les cuisses ainsi que les fesses. Pour la première fois de sa jeune vie, Alizée se trouve attirante.

— La bombasse atomique est de sortie ! s'exclame une voix féminine dès qu'elle met un premier pied sur le perron.

Le regard d'Alizée tombe sur Salomé qui saute de son scooter avec une agilité teintée de grâce.

— On avait convenu au téléphone de se rejoindre en ville ou j'ai mal compris ? demande la punkette novice.

— Non, rassure-toi, tu n'as pas rêvé, mais vu que j'étais prête, je me suis dit « Pourquoi attendre ? Allons cueillir ma belle amie devant sa splendide demeure ! »

Elles rient de bon cœur avant de prendre la route sur leur cheval de fer à moteur.

Après sept bonnes minutes perchées sur l'engin à deux roues à zigzaguer sur la route sablée, Salomé se gare enfin devant le parc coquet aux chanteurs du centre-ville. Tout le monde le nomme « parc aux chanteurs » en référence aux innombrables musiciens amateurs qui viennent se produire devant un public plus ou moins clément, friand de balades musicales.

Du coin de l'œil, Alizée scrute Salomé s'affairant à ranger son casque sous le siège de son scooter et à accrocher son antivol à une borne.

— Tu ne veux vraiment pas me dire où tu m'emmènes ? Retente indéfiniment Alizée.

— Je te dis que non ! Une surprise cesse d'en être une si on la dévoile avant l'échéance fatidique. Tu n'es pas d'accord ?

Une surprise… Le problème réside justement dans le fait que Alizée déteste les surprises, et ce depuis sa plus tendre enfance, car étrangement, elles avaient le chic d'irrémédiablement virer au drame. Comme l'année où sa mère lui a bandé les yeux lors de son cinquième anniversaire pour la mener jusqu'à ses convoités cadeaux. Manque de pot, pile à ce moment précis, le sort a fait trébucher la jeune Alizée sur un caillou un peu trop gros. Les conséquences de cette chute n'ont pas prêté à sourire : une cheville foulée avec en prime, la désagréable rançon de devoir souffler ses cinq bougies aux urgences. Ou encore le jour où, pensant lui faire plaisir, sa meilleure amie d'enfance lui a préparé un gâteau au chocolat et aux noisettes. Le gâteau a chatouillé les papilles de la fillette de sept ans lorsque soudain prise de suffocation, l'hôpital a dû de nouveau l'accueillir et c'est ainsi que, par un douloureux hasard, son allergie aux noisettes a été décelée. Coup de malchance ? Non… Depuis cette horrible journée, Alizée s'est persuadée d'avoir été maudite. Tous ses anniversaires doivent tourner au désastre, c'est inscrit dans son destin et elle ne peut strictement rien y faire. On n'a jamais vu personne échapper à sa destinée ! Pour preuve, l'inventaire des mésaventures ne s'arrête pas ici, à son dixième anniversaire, les yeux bandés (une habitude à bannir), armée d'un solide bâton ayant eu vocation de fracasser une pauvre piñata innocente de tout crime, Alizée a fini par perdre l'équilibre à mesure des coups répétés dans le vide. Elle ne s'est pas contentée de se vautrer cet après-midi-là. Trouvant la situation amusante, ses « amis » de l'époque n'ont pas cru juger bon de la prévenir de l'égarement de son trajet et ont réagi bien trop tard, une fois que le mal a été fait, quand Alizée a chu sur la longueur offerte par son corps fin de pré-adolescente dans un parterre de roses rouges sauvagement épineuses. Sur le coup, sa haine s'est orientée vers ses pseudos copains grâce auxquels son apprentissage moral a progressé, elle ne ferait plus aveuglément confiance aux autres sans qu'ils ne prouvent leur bonne foi au préalable.

Ce qui explique la raison pour laquelle Alizée ne peut contenir un cri d'effroi en voyant Salomé sortir un foulard rouge de l'intérieur de son sac à franges.

— Ah non, planque-moi ça tout de suite !

— Quoi ? s'époumone la dreadeuse, interdite, qu'est-ce qu'il te prend ?

— Pas besoin de me cacher la vue, tu me donnes ton putain de cadeau et on n'en parle plus !

Durant un instant, Salomé la jauge, décontenancée au possible avant de partir bientôt dans un fou rire incontrôlable.

— Mais relax, je veux juste m'attacher les cheveux avec ! Ce que tu peux être tendue, toi, parfois ! Et oublie ses yeux de chien battu, tu n'auras le droit à aucun indice au sujet de notre destination.

— Parce qu'on doit aller quelque part ? Ce n'est pas un cadeau physique ?

— Qu'est-ce que je viens de te dire ? On n'en a plus pour longtemps, de toute manière, on arrive.

Alizée soupire devant l'intransigeance sans faille de Salomé.

— Plus pour long ? D'accord, mais c'est-à-dire ? Donne-moi, au moins, un ordre de grandeur !

Salomé éclate de son rire tonitruant habituel, la tête rejetée en arrière.

— Tendue et maintenant impatiente ? C'est dingue, ça ! Motus et bouche cousue. Tu as une pierre tombale en face de toi !

— Et c'est moi qui suis irrécupérable, marmonne Alizée.

— Nous voilà arrivées, ma jolie Lili, annonce fièrement Salomé alors qu'elles tournent au coin d'une énième rue.

— Oui, et ? Tu veux m'offrir quoi au juste ?

Salomé ne cherche pas à dissimuler sa déception confrontée à la passivité cérébrale dont fait preuve Alizée.

— Franchement, tu exagères, ça paraît pourtant évident !

Alizée a beau regarder la rue de bout en bout d'un œil balayeur, rien n'y fait, ses yeux ne découvrent qu'une rue commerçante des plus banales sans attrait particulier. Et dire qu'elle lui a fait un foin incroyable à propos de cette surprise soi-disant inoubliable.

Excédée face à la mauvaise volonté de son acolyte, Salomé lui agrippe l'avant-bras d'un geste vif et l'entraîne jusqu'à un établissement peint en bleu indigo. En devanture de celui-ci figure une tête de singe, percée au cartilage de son oreille droite, surmontée d'un nom :

« Le Crazy Monkey

-

Piercing, tatouage »

Salomé s'évite le loisir de donner à Alizée à s'interroger et la pousse à l'intérieur.

— Salut les nanas, on est dimanche, la maison est fermée, commence une voix masculine pendant que Alizée prend soin de refermer la porte derrière leur passage, mais qui vois-je ? C'est la belle petite Sal' !

Enfin de face, elle aperçoit un type brun en tee-shirt noir tatoué sur l'entière longueur de son bras gauche sortir de derrière le comptoir pour aller claquer la bise à une Salomé on ne peut plus enthousiaste. Pour être si bien accueillie, Salomé est sans nul doute une bonne cliente.

— Je te présente Alizée, ma meilleure amie. C'est son anniversaire aujourd'hui et…

— Ah, joyeux anniversaire, amie de Salomé ! lui souhaite-t-il de bon cœur tandis que l'outragée en dreads le fusille du regard pour lui avoir fait l'offense de lui couper ainsi la parole.

— Je voulais lui faire un cadeau spécial pour son quinzième anniversaire et j'ai tout naturellement pensé à toi. Tu veux bien accepter ? Je me souvenais que tu venais faire tes comptes au shop le 15 du mois alors, même si tu es censé être fermé, j'ai voulu tenter ma chance !

— Et tu as bien fait, lui assure-t-il pendant qu'il transfère son attention vers sa nouvelle cliente, donc, parlons peu, mais parlons bien, dis-moi, jeune fille, quel piercing te ferait plaisir ?

Prise au dépourvu, Alizée ne sait quoi répondre. Il y a quelques instants, elle ignorait encore qu'elle franchirait les murs d'une boutique de piercings et de tatouages et maintenant, on exige d'elle de réfléchir à l'endroit où elle désirerait se faire percer.

— Oh si on me le permet, j'ai une suggestion à faire ! Pourquoi pas, un anneau dans le nez ? suggère Salomé en trépignant d'impatience. Ton nez n'a aucun défaut. Petit et mignon. Je suis sûre que ça t'irait méga bien, ça colle à merveille avec ton nouveau look de rebelle ! Hein, qu'est-ce que t'en penses, Bruno ?

Le Bruno en question s'approche d'Alizée pour examiner le fameux appendice prétendu parfait.

— Exact, je suis d'accord avec toi. Il ne reste plus qu'à obtenir le feu vert de ta copine. Alors rouquine, ta décision ?

Voilà une excellente question à laquelle Alizée doit se résoudre à apporter une réponse au plus vite. Mais laquelle donner ? Un simple anneau dans le cartilage d'une oreille suffirait amplement, histoire d'éviter de s'attirer les irrémédiables foudres maternelles. Il faut avouer qu'aucun des deux, que ce soit Salomé ou Bruno, ne l'aide à enclencher le fonctionnement des synapses de son pauvre cerveau engourdi. Mais alors qu'elle lutte en prévision du choix définitif de l'acte qu'elle souhaite voir effectué sur son corps, la paire la dévisage sans pudeur dans l'attente d'une réponse claire. Quand l'un manifeste son empressement à voir l'indécision maladive de sa cliente s'évanouir en croisant les bras, la mine un rien blasée, l'autre mime une aiguille avec l'aide de son index gauche qui transpercerait un coup la peau de son nombril, de son lobe, de son arcade, de son nez ou encore de sa lèvre.

— Va pour le nez !

Sa parole a dépassé sa pensée. Le bon sens voudrait qu'elle porte sa décision sur un emplacement plus discret comme le nombril ou quelque part sur l'oreille, mais tout porte à croire que la raison a perdu la partie.

— Tu le veux dans l'aile ou tu souhaites un septum ? la questionne Bruno qui a profité du flottement pour mettre le nez dans sa paperasse administrative.

— Euh, j'ignore ce qu'est un septum… avoue-t-elle, rouge de honte.

— C'est le piercing du taureau, intervient Salomé, ravie de sa réplique. Tu sais entre les deux narines là !

— Hein ? Nan nan, je préfère dans une narine.

Autant ménager un minimum les nerfs de ses parents.

— D'accord, bon, très bien… et puisque tu es mineure, j'aurais besoin de l'autorisation écrite de tes parents. Tu l'as en ta possession ?

Tel un diable à ressort surgissant de sa boîte en bois, Salomé saute aux bords du comptoir afin de ne laisser aucune occasion à Alizée d'objecter.

— Allez, sois pas vache, c'est moi qui lui offre ce cadeau pour son anniv', pas besoin de ses parents pour ça. J'ai totalement zappé de leur demander une trace écrite. Ne m'oblige pas à y retourner, ça prendrait une éternité de faire l'aller-retour et le temps que je revienne, tu auras fermé boutique. Alizée habite à l'autre bout de la ville…

À l'écoute du minaudage, Alizée s'attendrait mille fois plus à assister à l'emplafonnement d'une bagnole à travers la vitrine que de voir Bruno céder à un baratin pareil, aussi charmeur soit-il.

— Suis-moi, miss, c'est par ici, fait-il en désignant une petite porte non loin du comptoir.

Alizée obéit et frissonne en découvrant le siège pliant sur lequel il l'invite à s'installer pendant qu'il trifouille les pochettes renfermant les ustensiles stériles nécessaires à l'acte chirurgical. Double angoisse. L'aiguille de son trouillomètre s'affole dès lors qu'elle aperçoit

179

devant son visage l'attirail médical tenu fermement dans une paire de mains gantées de latex.

— Vous n'allez pas vous servir de ça sur moi ?

— Si, mais rassure-toi, c'est moins terrible que ça en a l'air.

— Si vous le dites, conclut Alizée tout en déglutissant.

— Prête ?

— Prête ! déclare-t-elle d'une voix claire et distincte, les yeux clos, la douleur imminente en préparation.

— Je le savais, splendide, triomphe Salomé quand Alizée réapparaît dans le hall de la boutique, t'as vraiment, mais alors vraiment trop la classe avec ce piercing au nez ! Tu t'es vue au moins ?

— Oui, il m'a tendu un miroir, et puis t'as remarqué ? Au dernier moment, Bruno m'a conseillé un anneau à la place du strass ou de la boule simple et du coup, j'ai changé d'avis ! Je trouve qu'un anneau est moins classique, ça en jette plus, non ? demande Alizée, le nez enflammé en l'air, fière de sa nouvelle allure.

— Bien d'accord, ma belle, j'aurais choisi le même à ta place ! Cinquante boules que Charlie va adorer ?

La ballerine punk rougit malgré elle, curieuse de le lui dévoiler.

— Je n'ai pas du tout eu mal en plus !

— Normal, il a des mains de dieu grec.

À son tour, Bruno ressort de la petite pièce du fond pour se coller derrière son comptoir, Salomé aux aguets ramène son sac à franges à l'avant de son bide dans l'attente du paiement et en retire un porte-monnaie en sequins.

— Voilà pour toi, mon brave, rit Salomé en étalant ses billets sur la table.

— C'est la dernière fois que je t'accorde ce type de faveur ! Je vais finir par avoir des emmerdes si ça continue, ronchonne Bruno dont l'inquiétude laisse à désirer.

— C'est la dernière fois... avant la prochaine ! conclut-elle, habitée de malice.

À mesure de la progression des deux filles sur le chemin du retour, une légère angoisse grandit dans l'estomac d'Alizée. Ses parents vont détester ce piercing. Même si elle n'a jamais eu l'occasion de discuter de modifications corporelles avec eux, elle les connaît bien assez pour s'être fait une idée précise sur leur jugement à ce propos. Il leur sautera aux yeux à coup sûr, moins que le ferait un septum, bien entendu, néanmoins cet anneau reste immanquable. Se torturer ne sert plus à grand-chose, le mal est fait, ce bijou ne se dissimulera pas par enchantement, il est solidement accroché à sa peau.

Des gentillesses échangées puis deux baisers déposés sur les joues fraîches et rosés de Sally et la voici en train d'introduire sa clef dans la serrure de la porte de chez elle du bout des doigts. Le grincement engoncé provoqué par le froid pré-hivernal lui mine d'entrée son essai de faufilage. Sa carrière de James Bond girl s'envole à vue d'œil, elle aurait très bien pu débarquer en soufflant comme une cinglée dans un serpentin, les décibels s'en seraient trouvés inchangés.

Le hurlement strident que poussera sa mère après avoir croisé sa fille dans le couloir finira de lever le voile sur le doute que Alizée a nourri en secret quant à l'hypothétique acceptation de ce bijou de peau par sa famille. Elle a peut-être la classe avec cette belle petite chose pendue à son nez, mais là, ça coince.

— Mon Dieu, qu'as-tu à la narine ?

Cette question la fait plonger de plusieurs centimètres sous son écharpe.

— Hein ? Mais rien, rien… marmonne Alizée, de plus en plus mal.

— Tu me feras le plaisir de te débarrasser de cette horreur et tout de suite !

— Non, c'est un cadeau ! refuse ostensiblement Alizée, une main sur son trésor festif.

— Un cadeau d'anniversaire ? Et de qui ? Qui t'a fait ce présent, je te prie ? Ah, non, laisse-moi deviner… Je parie que cette brillante initiative provient de Salomé, encore cette Salomé, cela lui ressemblerait bien ! vocifère sa mère, on ne peut plus condescendante.

— Oui, c'est bien d'elle et ne compte pas sur moi pour l'enlever !

— Je suis certaine que ton établissement scolaire n'acceptera pas cette horreur et je ne parle même pas de ta professeure de danse classique ! Elle sera horrifiée tout autant que je le suis, alors réfléchis-y bien, tu ne veux pas être renvoyée à cause de cette monstruosité ! Tu es au collège et tu es mineure ! Ceux qui t'ont percée sont dans l'illégalité la plus totale !

— T'y connais rien, c'est cool, tout le monde en a, se risque une Alizée d'humeur suicidaire.

— Je me fiche royalement de ce que font ou non les autres, je ne te veux pas avec, point final !

— Si je l'enlève maintenant, mon nez va s'infecter, bluffe-t-elle en dernier recours.

À chaque mot prononcé, le visage de sa mère rougit un peu plus. La colère se lit dans le moindre de ses traits.

— File dans ta chambre, explose celle-ci, et quand tu en ressortiras, ce sera pour ne plus être défigurée, je compte sur toi, veux-tu ! Tu ne nous épargneras donc rien, ton père et moi ? Ta sœur ne nous aurait jamais fait cela.

Au regard de la peine infinie lisible sur son visage, la responsable regrette sa parole dès sa fuite, cependant la flèche décochée ne lâche pas sa cible pour autant. Au but : un cœur en voie de cicatrisation avortée.

La blessée ne demande pas son reste et court tout de suite s'enfermer dans son refuge appeler Salomé qui, dénuée de toute compassion, s'esclaffera en premier lieu puis s'indignera en apprenant la suite de l'anecdote. Après moult tergiversations avec elle-même, l'adolescente se résoudra à ôter son ornement nasal dès le soir venu non sans regret. Par la faute de sa mère, Charlie sera, lui, interdit d'admiration contemplative. Alizée devra se passer de son avis.

La semaine qui succédera à la célébration de ses quinze ans sera synonyme de détresse adolescente. Punie, elle se verra privée de téléphone, de MSN et de toute autre distraction. Tant mieux pour Alizée, cela ne fera qu'ajouter du grain à moudre au moulin de la rancœur nourrie à l'encontre de la galeriste qui s'est étendue à n'en plus finir. Parler à sa mère lui arracherait la langue, elle s'y refuse. Heureusement qu'elle a encore son père comme entremetteur. Un tampon humain révélé. Son salut réside également dans un voyage scolaire à la capitale de trois jours, initialement prévu depuis le mois d'octobre, mais annulé in extremis, poussé par des parents récalcitrants à lâcher leurs mômes dans un contexte européen plus que tendu. Une aubaine pour Alizée qui, omettant d'en informer les siens, compte bien en profiter pour squatter chez son Charlie.

Le stress est à son comble le jour du départ. Trois jours entiers, soixante-douze heures seule avec un mec et pas n'importe lequel, le mec dont elle rêve depuis des semaines. Mais trois jours, c'est énorme ! Que vont-ils faire ? Que vont-ils se dire ? Si ça se trouve, Charlie va la soûler en l'espace de vingt-quatre heures à peine, ou pire, ce pourrait être l'inverse ! Ou peut-être se rendra-t-il compte de son erreur ? Il se rendra compte qu'il fait fausse route depuis le début, que Alizée ne regorge d'aucun attrait particulier, que ses problèmes sont trop ingérables et il se débarrassera d'elle aussi vite qu'elle est rentrée dans sa vie. Si ses peurs se vérifiaient, Alizée en mourrait.

Bagage au bras, elle se met en route, embrasse son père et uniquement son père, sa mère étant, une fois n'est pas coutume, retenue à la galerie pour superviser des travaux de rénovation.

— Et si cela se passe mal, n'hésite pas à appeler, je ferai ce qu'il faut pour te récupérer, annonce-t-il, l'air on ne peut plus sérieux.

— Je ne pars pas à la guerre, Pap', fait-elle, pleine de compassion puis va l'embrasser une ultime fois avant de s'éclipser dans l'allée du jardin.

Certes, sa mère n'a jamais été un grand boute-en-train, mais il faut bien avouer qu'elle a franchi un stade supplémentaire ces derniers jours. Depuis une semaine, elle excelle dans son rôle de femme des glaces. Pas un sourire, pas un mot aimable. Un mur infranchissable. Alizée plaint son père de tout son cœur. Rester enfermé en compagnie d'un glaçon qui ne décoche que cinq mots toutes les demi-heures est un cauchemar, et encore, si ces cinq minuscules mots pouvaient être agréables, mais cette femme n'est qu'insensibilité. Il n'émane rien de tendre, rien de fragile, rien de fébrile d'elle, à croire qu'elle se déshumanise de minute en minute. À ce train-là, dans quelques mois, Alizée se rendra à la triste évidence que l'on a échangé sa mère contre une Cruella d'Enfer bis !

La danseuse se pointe à seize heures pile chez Charlie, toujours dévorée par l'angoisse. Elle a beau mimer sa mère lorsqu'elle fait ses exercices de respiration yogiques, assise sur son tapis de sol, rien n'y fait, elle demeure pétrifiée, le cœur battant, hypnotisée devant cette porte blanche en bois.

Quand, soudain, celle-ci s'ouvre en grand, laissant apparaître un Charlie totalement hilare.

— Bah alors, qu'est-ce que tu trafiques devant cette porte ? Je t'observais de la fenêtre du salon, planqué derrière les rideaux, tu restais plantée sur tes deux pieds comme possédée.

La peur laisse place à la honte.

— Je crois que je n'arrivais pas à me décider à toquer, fait-elle se sentant définitivement super couillonne.

Il se marre de plus belle puis se penche pour attraper le sac rose pétant d'Alizée déposé sur le sol pendant sa courte phase de léthargie.

— Entrez, demoiselle, déclame-t-il solennellement à la manière d'un grand bourgeois d'un autre siècle.

La poitrine douloureuse, elle pénètre dans l'entrée, cette même entrée dont elle a franchi le seuil il y a déjà une poignée de semaines. Toutefois, en ce jour présent, tout est bouleversé. Aujourd'hui, elle ne vient pas en tant que simple copine, mais en tant que petite amie. Le changement est immense.

Ses craintes passées se révéleront infondées. Les journées qu'elle passera à ses côtés seront plus délicieuses les unes que les autres. Le soir de son arrivée, ils regarderont un film d'épouvante. D'ordinaire, Alizée n'en est pas une grande friande, cependant dans ce contexte précis, elle en profitera pour se lover dans le creux de l'épaule du guitariste, au plus près de sa peau et ne se décollera de lui qu'à la dernière note musicale du générique de fin. La première nuit, ils la dégusteront dans les bras l'un de l'autre, leurs corps chauds et palpitants en contact. Alizée aura peur de voir resurgir le blocage insupportable de l'autre après-midi. Pourtant, rien de tout cela ne surviendra, Charlie la respectera au point de ne pas souhaiter lui faire revivre cet état de panique. La déception qu'elle éprouvera suite à cet épisode nocturne la déstabilisera. Elle se surprendra à avoir eu envie qu'il la touche, qu'il l'embrasse, qu'il la caresse, mais ne saura pas comment le lui faire comprendre, troublée par ces sensations et sentiments neufs. Dire que depuis son entrée en cours préparatoire, elle n'a eu de cesse de se moquer de ces couples illuminés de bonheur qu'elle croisait en les traitant de débiles mièvres. On l'a contaminée et enrôlée au club plus ou moins select des décérébrés heureux. Oui, elle est heureuse de venir grossir les rangs des Bisounours gavés de plaisir. On vient de la déposer sur un nuage cotonneux dont elle refuse de descendre, elle ferait même le maximum afin d'y garder son nid douillet.

Les deux jours restants s'avéreront idylliques à se promener main dans la main comme deux amoureux transis, à rire aux éclats pour des broutilles, à discuter de sujets multiples futiles ou pointus et à se bagarrer gentiment comme des gamins.

Le samedi soir, Charlie lui fera un cadeau très personnel en lui jouant plusieurs morceaux à la guitare acoustique triés sur le volet.

Des larmichettes orphelines couleront à l'écoute de balades, ce qui achèvera de transformer Alizée en première groupie acharnée. Si elle mourait en cet instant, ce serait dans la peau d'une jeune fille comblée, l'une des plus heureuses de la planète. La fin du concert privé en approche, elle lui confiera le titre de la chanson qu'elle use en boucle : *A white shade of pale* de *Procol Harum*. « Un classique », lui répondra Charlie d'un air entendu et précisera n'être pas un immense fan de cette composition trop rétro sentimental à son goût (réflexion masculine typique), puis s'en défendra toutefois en admettant avoir un faible pour le *Wild world* des *Cat Stevens*.

L'hiver est bel est bien là, il a repris ses droits en recouvrant de son blanc manteau aussi bien les branches nues des arbres fruitiers que l'herbe épaisse vivace ou le bitume de la chaussée alpine. Les rangers d'Alizée et de Charlie font craquer de concert la poudreuse à chacun de leurs pas. Malgré le froid ambiant, Alizée ne s'est pas résolue à quitter ses fidèles collants en résille qui laissent entrevoir des centaines de minuscules taches de rousseur. Quand on s'affuble d'un look cool, on ne s'en déleste pas aussi facilement ! Zéro degré Celsius au compteur ? Même pas peur, on assume jusqu'au bout sans sourciller !

Nerveuse, Alizée jette, néanmoins, un coup d'œil furtif à ses genoux et à ses cuisses qui, tous deux, ont viré d'un blanc laiteux à un rose cramoisi inquiétant. Elle a l'air maligne maintenant avec ses jambes couleur knacki.

— Je t'emmène dans un endroit top secret, on est bientôt arrivés, rassure-toi, lui promet-il, une lueur énigmatique et malicieuse dans le regard tout en frictionnant énergiquement ses épaules dans l'espoir de dégager une étincelle de chaleur de son corps. Putain, mais t'avais pas des collants plus chauds, en laine ou un truc dans le genre ? Regarde tes jambes, on dirait que ton sang ne circule plus !

— Rah oui, je sais, mais j'adore ces collants, je n'ai pas réfléchi, le reconnaît Alizée tandis qu'elle flanque un coup de point d'une force équivalente à celle d'un moustique à l'agonie dans l'épaule droite de Charlie.

Bientôt, Alizée saisit la raison pour laquelle Charlie a désiré garder le secret de leur destination jusqu'à son dénouement. Magique, fantastique, étonnant seront les trois premiers mots qui lui parviendront à l'esprit au moment où elle posera son regard sur ce splendide paysage découvert. La beauté féerique du lieu chavire tout son être. Les lumières froides et bleutées de fin d'après-midi jouent de leur réflexion sur le petit étang glacé en contre bas.

— C'est vraiment splendide, murmure Alizée dans un faible souffle de peur de briser la magie de l'instant.

— J'étais sûr que ma petite surprise allait te plaire, dit Charlie, satisfait de lui.

Il l'entraîne sur un long rocher en forme de galet pour s'y asseoir.

— Je ne comprends pas comment un lieu aussi merveilleux peut rester dissimulé au plus grand nombre. Je n'étais encore jamais venue ici, pourquoi ?

Charlie pouffe dans son col.

— Euh, tu n'as pas fait attention au panneau ? On est passé devant tout à l'heure pourtant.

Alizée le fixe d'un regard aussi vif que celui d'une carpe au paroxysme de ses facultés cérébrales.

— Non, et qu'est-ce qu'il disait, ce panneau au juste ?

— « Attention propriété privée, défense d'entrer », balance-t-il avec sa nonchalance habituelle.

— Tu te fous de moi, j'espère ?

Alizée bondit, les sens aux aguets, devant le désinvolte jeune homme qui la dévisage, amusé, le cul toujours vissé sur son galet géant.

— Faut pas t'énerver, Punkinette. On ne fait rien de mal, la nature appartient à tous, je ne fais que rétablir l'équilibre. Les propriétaires sont rarement présents et si tu veux mon opinion, c'est un crime contre l'humanité de s'approprier pour soi un endroit aussi beau.

Alizée croit entendre Salomé, elle, non plus n'aurait pas hésité à enfreindre les règles basiques de loi de propriété.

— Excuse-moi si je n'ai pas envie d'avoir plus de problèmes, j'en ai bien eu assez comme ça, j'ai mon compte, s'énerve-t-elle malgré elle.

— Tu n'en auras pas, c'est pas la première fois que je viens ici et jusqu'à présent, je n'ai pas vu la couleur des murs du commissariat du coin. Enfin, pas sous ce motif, en tout cas, croit-il bon de préciser, en plus, je ne voulais pas t'offrir ton cadeau d'anniversaire n'importe où. Ici, c'est parfait.

Il attrape son sac à dos, tire sur la fermeture éclair et en sort un mignon petit cadeau d'une forme étrange emballé maladroitement dans du papier étoilé.

— Oh merde, regarde-moi ça, chuchote Charlie.

Il faut quelques secondes à Alizée pour détacher son attention du présent tendu par son copain (un collier magnifique confectionné d'une fine chaîne en argent terminée par un pendentif rond en pierre naturelle de couleur bleue) et relever son menton en direction des fourrés. Et que ne découvre-t-elle pas à seulement cent mètres d'eux ? Une jeune biche d'un jaune or nullement effrayée par leur présence. Pour preuve, l'effrontée les scrute longuement derrière ses beaux yeux noirs d'une douceur infinie.

À la longue, la biche finit par ignorer les deux gobeurs de mouches et filer dans les bosquets.

— C'était réel ? Pince-moi, Charlie, que j'en sois sûre.

C'est ce qu'il fait, déclenchant par ce geste le réflexe incontrôlable d'une main féminine qui vient s'écraser dans le visage du pinceur aventureux. Une exclamation et des rires s'en suivront avant qu'ils ne se dirigent vers l'étang, soudés de leurs deux mains gantées, en prévision d'une séance de patinage sauvage suggérée par Charlie.

— Tiens, voilà pour toi ! Je les ai piqués à la patinoire, annonce-t-il fièrement en brandissant deux paires de patins de l'intérieur de son sac à dos.

— Salomé et toi, même combat ! Deux jumeaux !

— Roh, je déconne, celles-là sont à moi et les autres appartiennent à une ancienne copine.

— Copine, copine ?

— Une ex, si tu préfères, je ne crois pas en l'amitié entre go et mecs ? Ça finit toujours pareil, c'est mathématique.

— Ah bon ? Moi, j'y crois, fait Alizée, déçue. Qu'est-ce que tu fais de Salomé alors ? Sauf preuve du contraire, c'est une fille et une fille franchement canon.

— Elle, ce n'est pas pareil, hé, elle aime les filles, ce qui enlève pas mal de charge sexuelle, enfin... ça dépend, enfin bref, on se connaît aussi depuis qu'on est mômes. Sérieux, j'aurais l'impression de coucher avec ma frangine ! Mais assez bavassé, enfile ces charmantes petites choses à tes pieds et faisons de la glisse ! s'exclame Charlie, coupant ainsi net le flux de revendications de la petite danseuse.

— Tu es sûr de ton coup, au moins ? La glace ne risque pas d'éclater sous notre poids ? Qu'on n'aille pas mourir d'hypothermie en restant coincé sous la glace comme deux glandus, ce serait ballot.

— Mais quelle petite poule mouillée... Il fait un sacré froid depuis des plombes, elle est solide et épaisse, on n'encoure aucun risque, lui jure-t-il en tapant la couche glacée avec la jointure de ses doigts.

Quelques hésitations plus tard, les voilà s'apprêtant enfin à poser le pied sur le sol gelé, chaussés de leurs patins. Jouant de malchance, ceux d'Alizée flottent à l'entour de ses pieds, ce qui ne contribue pas à faire s'évaporer son appréhension.

Remarquant l'inquiétude prononcée de sa partenaire de glisse d'un jour, Charlie tente le coup en premier. Il ne fait pas les choses à moitié pour la convaincre, allant même jusqu'à sauter de tout son poids afin d'apprécier de la dureté de cette glace.

— Tu n'as rien à craindre, lui dit-il, une fois sa démonstration achevée, tu as confiance en moi ?

Sans prendre la peine d'attendre une réponse, il l'entraîne par le bras et l'amène en douceur vers lui pour ne pas la brusquer. Durant la manœuvre, Alizée ne peut lâcher son regard du sien et comment se détacher de ces iris dont la lumière froide d'un mois de novembre fait ressortir le bleu stupéfiant qui cercle ces prunelles plus qu'à la normale ? Ainsi accrochés, pas hésitants pour l'une, glissades assurées pour l'autre, ils parviennent au cœur de la patinoire naturelle. Constatant l'ascension de l'obscurité naissante, le petit couple se résout à rebrousser chemin et rentrer chez Charlie, des étoiles plein les yeux, rassasiés de leur bonheur simple.

Le soir venu, Charlie se veut plus tactile, son corps exsangue de mots exprime sa demande de contact physique sans vergogne, en particulier au moment de préparer l'apéro où ses bras se sont mis à chercher tantôt la taille, tantôt les fesses de la ballerine. Si Alizée prétend l'aimer, où est le problème ? Pourquoi ce blocage ? Elle devrait prendre sur elle, surmonter sa peur et se donner à lui. Des dizaines d'adolescentes le font chaque jour dans ce pays alors pourquoi pas elle ? Il faut qu'elle se détende et tout ira bien, c'est aussi simple que cela. Les premières fois sont angoissantes, toutes sans exception, c'est tout à fait normal, et rien de tel que l'alcool pour se sentir bien dans sa peau, détendue et totalement zen, elle commence à avoir de l'expérience dans le domaine. Son amoureux au téléphone, elle se précipite vers le petit buffet de la cuisine rempli de bouteilles d'où Charlie a retiré son nécessaire à cocktails. Il y a réellement de tout là-dedans, du whisky pur malt, du Scotch, des digestifs en veux-tu en voilà, des liqueurs, du champagne… rien qui ne la transcende pour le moment… Mais ô miracle, coincée entre une bouteille de Martini et une autre de Porto, l'adolescente déniche une vodka accueillante pleine aux trois quarts, une vraie vodka russe reconnaissable à son nom imprononçable. Associée à une dose de coca light, elle partira vite, ce sera parfait. Et ce qui doit arriver arrive, quand Charlie revient de son papotage entre musicos, le stratagème consistant à enchaîner cocktail sur cocktail expose l'étendue de son succès avec une Alizée cotonneuse, détendue à souhait, prête à dépasser sa vitesse initiale.

L'éméchée a pris en son absence une position qu'elle s'imagine lascive, jambes croisées, tête posée dans la paume d'une main et sourire mi-énigmatique, mi-coquin. Visiblement sensible à ce changement de comportement, Charlie baissera l'intensité lumineuse du variateur d'ambiance, lâchera sa bière entamée de moitié pour venir s'installer tout contre Alizée. C'est sans précipitation aucune ni mot superflu qu'il avancera ses lèvres vers son cou. La ballerine alcoolisée déjà en surchauffe gravit deux degrés supplémentaires dans la jauge de perte de contrôle. Bientôt, il la bascule en douceur sur le long du canapé et entreprend de lui enlever ses vêtements. Ses chaussures, sa robe noire lacée et ses collants en résille. Pour le second élément, elle en facilite son retrait en se tortillant comme un ver plein d'entrain. Les gestes de Charlie n'ont rien de commun avec ceux d'un amateur. Ils sont fluides, certains et d'une précision redoutable. Alizée regrette presque s'être autant soûlée, ses sensations ont perdu en puissance, elle en est persuadée. Pour autant, leur fusion est bel et bien là. Leurs respirations se confondent à l'instar de leurs corps entremêlés assoiffés d'amour. Leurs âmes en éveil n'ont de cesse d'exprimer leur fougue par des baisers rythmés de gémissements désinhibés. Bientôt, la valse des va-et-vient s'interrompt. Épuisés encore haletant et trempés de sueur, leurs corps toujours inséparables et soudés l'un à l'autre les ordonnent de ne pas céder à la tentation de se décoller ou de s'en aller se couvrir d'une couette pudique.

Il a beau n'être que vingt et une heures, un sommeil profond des suites de sa cuite express guette Alizée, la faisant sombrer d'un bloc. Elle ouvrira tout de même un œil quand Charlie la portera dans ses bras nus à l'image de ces héroïnes en détresse contre lesquelles elle a tant pesté.

Le lendemain matin, Alizée se réveillera le sourire jusqu'aux oreilles. Non seulement elle n'aura pas souffert (l'alcool, dompteur de peur, n'y sera pas étranger), mais en plus de cela, leur première fois aura été idéale, elle n'aurait pu imaginer une nuit plus parfaite que celle-ci. L'amour embellit la vie, même la plus pourrie.

3 décembre... Ouille... Le temps pénible du conseil de classe du premier trimestre a sonné et celui d'Alizée se tiendra à dix heures précises lors de leur cours d'Histoire-Géo. Dire qu'elle n'est pas rassurée est un euphémisme, ce qui ne lui ressemble pas. Son niveau a baissé, elle l'a constaté en calculant sa moyenne générale provisoire hier soir dans son lit, moyenne estimée aux alentours de douze. Sa mère le lui mettra le nez dessus. Malgré ce qu'il s'est passé pour eux cet été et depuis ces quatre derniers mois, elle l'emmerdera avec ses résultats. Pour n'importe quel parent, douze représenterait une moyenne tout à fait honorable, même plutôt correcte, mais pas pour la mère d'Alizée qui s'est toujours attendue à mieux de la part de sa fille. En prime, trois voire quatre résultats de devoirs surveillés sont à ajouter à ce total trimestriel dont un contrôle de français bâclé durant lequel Alizée s'est endormie la tronche sur sa copie sous couvert d'une nuit entière passée en compagnie de Salomé et de Charlie à boire des shooters immondes saveur malabar. En dépit de la menace, si cette nuit blanche devait lui valoir un zéro pointé, elle ne le regretterait pas, car le florilège gagné de bavardages, fous rires, dégringolades et de conneries en contrepartie le méritait bien.

Mais à midi, Alizée ne fait plus la fière devant son pauvre plat de pâtes tomate-mozzarella. Ces pâtes molles et gluantes lui paraissent pour le moins du monde appétissantes.

Soudain, un tintement de clochette propre à son portable se manifeste à ses oreilles.

Un texto de Charlie.

Le cœur d'Alizée manque plus d'un battement à sa lecture. N'en croyant pas ses yeux, elle le relit encore et encore jusqu'à irriter ces globes oculaires, mais rien n'y fait, le contenu de cet incompréhensible message s'est incrusté de son empreinte sur sa rétine.

Ne m'appelle plus, oublie-moi. C'est mieux pour tout le monde…

Charlie doit lui fait une mauvaise blague ! Un pari avec les nazes qui lui servent de copains ?

Elle envoie :

Tu es en avance, le 1ᵉʳ avril, c'est pas pour tout de suite, Chacha !

Tintement de clochette.

Non, je ne plaisante pas, on arrête là… Je préfère… Bye…

Ankylosée dans sa stupeur avancée, Alizée n'entend pas la sonnerie de la reprise des cours, trop hypnotisée par la fixation de son écran, sous le choc, les yeux écarquillés et le corps figé sur sa chaise.

C'est impossible… Cette histoire ne tient pas debout, il doit y avoir une explication. Elle ignore encore laquelle, mais elle ne tardera pas à l'obtenir, Charlie la lui apportera et elle pourra le convaincre de continuer leur relation idéale.

De retour dans sa chambre en toute fin d'après-midi, Alizée s'effondre sur son lit, épuisée par la journée de merde éclusée. Elle en chiale de rage. En réalité, sa colère n'est pas moins dirigée contre Charlie que contre elle-même, car si elle s'écoutait, sûr qu'elle se foutrait des tartes et des sacrées pour se réveiller enfin de cette liaison parfaite imaginaire.

Il s'est démené tel un forcené pour qu'elle s'attache à lui et maintenant qu'elle est enchaînée à cette dépendance affective, solidement accrochée comme un lierre à son chêne à la dose d'amour dont il l'a piquée chaque jour, il ne trouve rien de mieux que de l'abandonner comme il le ferait avec une vieille chaussette rapiécée mille fois. Alizée aimerait tant enfermer Charlie au fond d'une boîte, l'envoyer par la poste à destination de la Laponie afin de ne plus craindre de le croiser n'importe où, pour que ses souffrances cessent.

Comment a-t-elle pu être si naïve au point de lui accorder une confiance sans réserve ? Quelle conne d'avoir cru à ses satanées phrases préfabriquées de beau parleur. « Jamais je ne te ferai de mal. », va te faire foutre, « je tiens trop à toi. », encore des conneries ! Elle s'est fait avoir comme une bleue ! Ce type est un sale con, elle le sait bien, mais bordel, c'est son connard à elle et elle l'aime.

Après avoir essuyé ses yeux larmoyants, Alizée attrape son ordinateur de dessous son lit, l'allume et recherche dans sa playlist des chansons sur lesquelles elle se défoulerait. Son index choisit de s'arrêter sur un album de *Mademoiselle K* qu'elle adore et clique sur une chanson des plus appropriées au regard de sa situation, *Crève*, titre tiré de son premier album, *Ça me vexe*. Quand on se fait larguer comme une grosse bouse, ce morceau est tout ce qu'il a de plus opportun.

Dès les premières notes, Alizée se met à chanter à tue-tête debout sur son lit en balançant des coups de poing dans son oreiller à intervalles plus ou moins réguliers.

« *À des années-lumière de tout c'qu'on voulait faire, des années sans lumière, c'est tout c'qu'on a pu faire* »

Et un coup de pied dans une des dernières peluches survivantes de son enfance.

« *Faudrait pas t'en aller, avant qu'j'ai fait germer, tout l'pourri qu't'as semé dans ma tête en chantier !* »

Et bim, un autre.

« *Faudrait pas t'en aller, avant qu'j'tai renvoyé, le piquet qu't'as planté, qui est resté là, va t'en, crève !* »

Deux options s'offrent à elle, soit elle picole à s'écrouler au sol, soit elle pète absolument tout à l'intérieur de sa piaule, alors, à choisir… Il lui faut donc de l'alcool en guise d'achèvement à son ode au pathos et *pronto*. Sa bouteille de vodka piquée dans la console du salon ! Où se planque-t-elle cette petite conne ? Une investigation s'impose ! Rien dans son tiroir à chaussettes, rien sous son lit ou derrière sa tonne de bouquins empilés. Pourtant, l'idée aurait été judicieuse vu qu'aucun être doté d'une cervelle en bon état de marche ne chercherait à foutre son nez dans ce souk innommable. Et cette liche ne se cache pas non plus dans son armoire, vautrée sous une pile de fringues. Non. Elle la dénichera camouflée dans la poche zip de son range-pyjama *Pikachu* en peluche.

Elle sait, comme son père, ce qu'un verre d'alcool apporte de réconfort à un être humain en souffrance. Dorénavant, tout lui paraît clair et limpide.

À mesure que les plages de lecture s'égrènent, la colère laisse la place libre à un chagrin intense. Après les coups, les pleurs. Merci à l'alcool... Sa magie fait ressortir toute la merde qu'on occulte en temps normal.

Sans prendre la peine de baisser la musique, elle attrape son portable qui gît sur sa couette et fouille son répertoire avec un œil fermé dans le vain espoir d'améliorer sa vision de bourrée. Le nom de la seule personne au monde capable de l'aider et de l'écouter apparaît enfin sur l'écran. Elle l'appelle. Ça sonne dans le vide jusqu'à ce qu'elle entende le bip du répondeur.

« *Je sais qu'on est... qu'on est un peu en froid ces temps-ci, mais... j'ai besoin de toi, j'ai besoin de mon amie. Ne m'abandonne pas toi aussi...* »

Elle raccroche, perplexe. Pas sûr que Salomé y comprenne grand-chose, elle pleure tellement, son message a dû s'en trouver affecté et s'éloigner à grands pas de l'intelligibilité. Tant pis, elle va d'abord engloutir le liquide à 47° de cette putain de bouteille et elle avisera ensuite.

Tic tic toc

Tac tic tac

Qu'est-ce que c'est que ce boucan d'enfer ? Son crâne lui fait un mal de chien ! C'est comme si un sadique prenait un malin plaisir à piétiner ses neurones encore viables.

Et voilà que ce tintamarre recommence de plus belle.

Les mains crispées sur ses tempes, Alizée se redresse sur son lit. Au travers de la vitre filtrent de puissants rayons solaires. Pas croyable, elle a pioncé toute la nuit entièrement habillée alors même qu'elle ne se rappelle pas s'être endormie. Et elle n'y est pas allée de main morte, sa bouteille *Eristoff* aux trois quarts vide en témoigne.

Tic toc tac

— AH, MAIS MERDE, C'EST PAS BIENTÔT FINI CE POTIN ? hurle Alizée avant de tout de suite regretter cet acte qui ne fait qu'aggraver son mal de caboche.

Cet emportement a néanmoins le mérite de déclencher des sifflements au-dehors, au bas de sa fenêtre. Parvenue au bord de celle-ci, Alizée l'ouvre à la volée et se penche par-dessus.

— Putain, ma pauvre, tu nous fais un remake de *L'armée des morts* ou quoi ? rigole Salomé en découvrant la mine défaite de son amie.

En passant la main dans ses cheveux, Alizée constate avec effroi sa crinière bouclée d'ordinaire domptée par un lisseur refléter la qualité médiocre de son dernier somme.

— J'ai passé une journée grave pourave et une nuit agitée alors écrase, n'en rajoute pas, s'te plaît, grogne Alizée, déterminée à ne surtout pas se laisser emmerder aujourd'hui.

L'amabilité digérée, Salomé la dévisage soudainement inquiète.

— C'est pour ça que tu m'as appelée cette nuit ? Tu paraissais tellement désespérée dans ton message... J'avais éteint mon portable, j'étais avec une nana, cinglée en plus, j'te raconte même pas, du coup, je n'ai rien remarqué. Je ne suis tombée dessus que ce matin en l'allumant. Je m'en suis voulu à mort. Pis, j'ai essayé de te rappeler, ça n'a abouti à rien malheureusement, j'étais tout de suite reconduite vers ton répondeur... J'étais en panique et bref, j'ai attrapé mon scooter pour me précipiter ici !

— Hein, de quoi tu parles ? Traite-moi de folle, merci ! Je ne t'ai pas téléphoné et je n'ai reçu ni appel ni SMS de quiconque ! se justifie-t-elle alors qu'elle retourne à l'intérieur de sa chambre pour en avoir le cœur net.

C'est avec dépit qu'elle découvre son *Nokia* à clapet intégralement déchargé.

— Désolée, tu avais raison, mon portable est mort ! J'avais pas fait gaffe, s'excuse-t-elle, avachie au rebord de fenêtre.

— Tu m'ouvres, dis ? Il pèle un max dehors, c'est l'horreur, la supplie-t-elle, sautillant à pieds joints dans la neige fraîche de l'aube.

Un 4 décembre, normal.

— D'accord, attends-moi là, je descends te chercher.

Tandis qu'elle se dirige vers la porte de sa chambre, Alizée croise son reflet dans son grand miroir à pied. Quelle gueule ! Finalement,

Salomé a fait preuve d'indulgence à son égard. Les excès de la soirée dernière se lisent sur les contours de son visage et dans son apparence entière. Traits tirés, teint vaseux, yeux fatigués et gonflés, cheveux en bataille, dos voûté et fringues froissés : la dégaine complète de la parfaite petite pochtronne.

— Alors, raconte-moi ce qu'il se passe. Je sens bien que quelque chose cloche. Je te connais, tu sais... Tu me fous les boules, t'as vraiment l'air d'être passée dans une lessiveuse, observe Salomé une fois au chaud à l'étage de la larguée.

Ces phrases anodines déclenchent la montée de la marée, les yeux de la jeune fille aux cheveux de feu se mouillent au fil des syllabes articulées. Elle se refuse à lutter, elle ne veut pas ravaler ses peines et c'est dans un lâcher-prise étudié qu'elle laisse les vannes s'ouvrir en grand, la soulageant d'un poids devenu étouffant. Alizée ne souhaite plus se battre contre sa vue qui ne cesse de se brouiller. Que sa peine s'exprime ! Que cette frustration lui soit retirée ! L'origine de son mal-être ne se discute pas, elle craque sous la charge de cette obligation pesante de mettre des mots aussitôt sur ce que Charlie a osé lui faire subir, car comment expliquer à quelqu'un des événements et le comportement d'une personne quand on ne les comprend pas soi-même ? Et la présence de Salomé, quelle que soit la finesse de son esprit d'analyse, ne changera rien à la résultante de cette affaire. Discuter, décortiquer les signes avant-coureurs, les déplacer à tort et à travers pour leur donner un sens, argumenter sur le pourquoi du comment des heures durant ne la fera pas avancer. C'est la merde ce matin et ce sera toujours la merde ce midi, en fin d'après-midi et à minuit.

— Je t'en supplie, dis-le-moi ! Tu sais que tu peux te confier à moi, c'est ta sœur ? Parle, l'incite désespérément Salomé alors qu'elle enlace Alizée dans ses bras, désemparée par la détresse de son amie.

Toujours en pleurs, Alizée se libère tout de même de cette étreinte en quête de lucidité.

— Charlie... m'a... quittée, sanglote-t-elle entre deux hoquets.

— C'est-à-dire ? demande Salomé, sonnée par le coup asséné.

— Il m'a envoyé un texto de rupture hier midi quand j'étais en train de bouffer au self... Je te jure que j'ai bien failli m'étrangler avec ces pâtes collantes à la con... J'y comprends rien, Salomé... Qu'est-ce que j'ai fait de mal pour qu'il me largue du jour au lendemain ?

— Par SMS ? Tu déconnes ? Mais quel salopard, ce type n'a pas de couilles ou quoi ? Je vais lui faire la peau à cette lavette ! s'écrit Salomé totalement indifférente aux gesticulations d'Alizée la suppliant de baisser le niveau de ses décibels.

Alizée se lève, titubante, et tend son portable en direction de Salomé après l'avoir récupéré sur sa table de chevet.

— Regarde par toi-même, renifle Alizée.

Les yeux de Salomé s'écarquillent au cours des lignes du texto.

— QUOI ! C'EST QUOI CES SMS DÉBILES ? QU'EST-CE QUI LUI A PRIS À CET ABRUTI FINI ? s'emporte-t-elle, montée maintenant sur ressort.

— Je suis incapable de te répondre, je ne vois pas ce qui a pu se passer en si peu de jours pour qu'il remette notre relation en question comme ça... Je n'arrête pas de me repasser le cours des événements de cette semaine, mais ça ne sert à rien, bordel, vu qu'il ne s'est rien passé de particulier. Et puis, je n'arrête pas de chialer comme une connasse depuis qu'il m'a balancé à la gueule ce message, j'en ai ras le cul, j'te jure... Je n'en peux plus...

— Mais... mais... La dernière fois que tu l'as vu, c'était quand ? l'interroge Salomé en faisant les cent pas dans la pièce en vue d'une solution inespérée.

— Le week-end dernier...

— Qu'est-ce que vous avez fait ensemble ? Et comment était-il ? Je veux dire par là, est-ce que son comportement t'a paru genre normal ou au contraire étrange ? Il n'était pas irritable comme s'il avait appris une mauvaise nouvelle ou autre ? Réfléchis bien, ça s'explique forcément, il n'a pas dû prendre une décision aussi radicale sur un coup de tête, surenchérit Salomé, les sourcils froncés, contaminée à son tour par cette incompréhension contagieuse.

Et si Charlie l'avait quittée à cause de son automutilation ? Il a dû prendre peur et la considérer comme une nana totalement instable psychiquement, toutefois la révélation de ses scarifications remontant au commencement de leur couple détruit en partie sa théorie. L'aurait-il plaquée parce qu'il a réussi à obtenir ce qu'il voulait d'elle ? Son corps.

— Et si on allait se promener ? Ça te fera du bien, tu verras ! L'air frais, y a qu'ça de vrai ! Je te paie un bon chocolat chaud chez Mich'. C'est le meilleur antidépresseur au monde, ça va te requinquer, ma belle Lili ! Allez, c'est décidé, déclare Salomé, voyant que son amie ne réagit pas à sa proposition, prends ton manteau, on y va, je ne te laisse pas le choix !

Alizée s'exécute, muette, ouvre son armoire et attrape son long caban rouge vif offert par sa grande sœur à l'occasion de son dernier anniversaire. Dès leur sortie sur le trottoir, Salomé saisit la quenotte d'Alizée en bonne pourfendeuse de la transmission d'ondes positives pour ne la lâcher qu'à l'apparition du bar saloon.

Elles l'occuperont de leurs âmes de longues minutes à discuter et à s'enlacer au rythme d'arrivage de chocolats chauds apportés par un Michmich se rêvant castrateur de briseurs de cœurs à coups de sécateur.

— Tu peux m'accompagner au refuge s'il te plaît ? demande Alizée à l'adresse de sa meilleure amie, réconfortées par la boisson d'enfance, J'ai promis à Marie de l'aider à confectionner des cartes de vœux personnalisées à destination des adhérents.

— Bien sûr ! J'aime ton attitude, ma poupette ! On est des warriors ou on ne l'est pas, lui rétorque l'intéressée.

— Mouais, c'est plus un soutien psychologique qu'autre chose. Histoire de rendre utiles ses mains et son esprit, tu vois.

— Je vois tout à fait.

Et une promesse est une promesse.

— Mais ne t'en fais pas, je suis sûre que *l'autre* va retrouver l'usage de son cerveau et t'appeler.

— Je stresse tellement à l'idée de tomber sur lui tout à l'heure, t'imagines même pas...

— Ce serait cool plutôt, tu te rends compte, vous pourriez vous parler comme ça ! Vois le positif, là au moins, il ne pourra pas se défiler et s'il essaie, laisse-moi te dire que je lui réglerai son compte !

Il est vrai que vu comme cela... Mais cette précaution ne servira à rien, Charlie ne fera pas le déplacement. « Le salaud », assènera pour une millième occasion Salomé quand elles seront forcées de se rendre à cette évidence.

Comme le requière le règlement, Alizée se présente à l'entrée des artistes avec plusieurs minutes d'avance sur le flanc gauche du théâtre de la ville, un magnifique théâtre blanc à l'italienne dans le pur style néo-classique. Contrairement aux autres petites danseuses, elle vient seule, sans ses parents, pour ne pas être contaminée par une déconcentration improductive.

Les après-midi de répétition générale sont géniales. L'excitation est palpable chez chaque acteur participant activement à la réalisation finale du spectacle. Les élèves le sont à la perspective de monter sur scène, la professeure par l'aboutissement de plusieurs mois de travail accompli, les parents d'élèves devant la promesse d'exposition en public des progrès ou de la stagnation de leurs bouts de choux respectifs.

En pénétrant dans les loges, Alizée se dirige directement vers Célestin pour l'embrasser, son partenaire de scène, le petit Peter pan, un élève de douze ans du cours inférieur très talentueux. Chose faite, elle va s'installer, se préparer calmement et minutieusement, profitant de ce jour pour répéter les gestes qu'elle réitérera le Grand soir, comme sa coiffure : des nattes basses ornées d'un fin ruban soyeux bleu, son costume : une petite robe de la même couleur fluide courte à volants dans un souci d'amplitude gestuelle.

Mais alors qu'elle croque dans une petite pomme verte, unique repas de sa journée, Alizée jette un œil en direction de son Peter Pan en apparence hypnotisé par le reflet que lui renvoie ce miroir auréolé d'ampoules. Il n'a pas l'air dans son assiette à sonder le blanc des yeux de son double imagé. Sa nervosité est criante.

— Ça va bien se passer, on a répété comme des malades alors il n'y a aucune raison pour que ça se passe mal le soir du spectacle, le rassure-t-elle en remarquant son tic frénétique du genou gigotant.

Peter Pan lui sourit, touché, et la remercie.

À dix-sept heures, les danseuses et danseurs sont fin prêts, compressés à l'entrée des coulisses, vêtus de leurs merveilleux costumes faits main. Le labeur qu'a représenté la confection de ces habits de scène est considérable, même si Natacha Bulowski a fait appel au renfort d'un régiment de mères volontaires douées pour la couture, le plus gros du travail lui revient.

Quinze minutes plus tard, cette même Natacha convie la juvénile troupe au grand complet à se rassembler sur la scène pour leur délivrer le programme de l'après-midi. À cela, elle enrichit son discours d'une consigne de silence, une règle spécialement destinée aux plus petits connus pour leur impatience débordante, plausible entrave au bon déroulement prévu de l'opération artistique finale.

La répétition générale se déroule sans anicroche comme l'a rêvé mademoiselle Bulowski lorsque, tout à coup, Alizée, prise de violents vertiges, tangue en pleine variation individuelle. Son cœur, devenu douloureux, bat par à-coups saccadés anormaux. Les battements cardiaques poursuivent leur progression jusqu'au crâne où ils deviennent à un point ravageur tel qu'ils parviennent à couvrir à l'ouïe de la soliste les trois quarts de la mélodie des enceintes.

Petit à petit, son environnement perd forme. Les moulures des balcons se muent en volutes blanches, la lumière des projecteurs se métamorphose en lucioles tournoyantes, les coulisses côté jardin ondulent, les élèves restés là pour la regarder en tas vaporeux informent. Tout a perdu de sa réalité autour d'elle. Non, sa petite pomme n'aura pas suffi au contentement de son estomac, mais alors, pas du tout.

Lorsqu'elle se réveille, un lit en support PVC et un petit téléviseur suspendu au mur ont remplacé la scène et les coulisses. Elle réalise que ses bêtises ont fini par carrément l'amener à l'hosto. Au côté droit du lit repose un magnifique bouquet de roses blanches, ses fleurs favorites. Sa mère est donc passée avant qu'elle ne s'éveille, elle seule a connaissance de cette préférence florale. Elle doit être en pétard contre elle. Mais comment lui expliquer les tenants et aboutissants de cette histoire ? Elle ne comprendrait pas. Pourquoi s'est-elle effondrée ? Est-ce à cause de son régime pauvre en calories ? Sa fatigue nerveuse ? Ou ses cachets ? Les événements la dépassent de très haut. Comment a-t-elle pu perdre pied à ce point ? Jamais cette Ava ne l'a avertie des risques qu'elle encourait à prendre ce type de comprimés, elle a insisté, au contraire, sur leur sécurité. La perfusion qu'elle découvre au dos de l'une de ses mains la mène sur une piste.

Perdue dans ses songes, Alizée ne prête pas attention au léger grincement de la porte de sa chambre, signe avant-coureur de l'entrée imminente d'un intrus dans la pièce.

— Tu ne dors plus, mon p'tit mistral ? s'enquiert son paternel dont le teint livide trahit l'angoisse, tu nous as donnés de ces sueurs froides à ta mère et à moi…

— Pardon, ce n'était pas mon but, s'excuse-t-elle dans la confusion.

Antoine s'asseye aux pieds de sa fille avec mille précautions et reprend, l'air grave :

— L'équipe médicale a fouillé tes affaires, ils ont découvert des coupe-faim et plusieurs cannettes énergisantes. Depuis combien de temps les utilises-tu ? Et surtout, la question primordiale, comment t'es-tu procuré ces médicaments ? De ce que m'a relaté une infirmière, ce ne sont pas des cachets en vente libre, par conséquent, je m'interroge.

Alizée garde la tête basse trop effrayée à la pensée de déceler de la déception dans le regard de son père.

— Un mois ou deux… j'ai oublié la date exacte, c'est assez vague. Je n'en ai pas pris souvent.

Et elle ne lui a pas menti, situer le commencement de ce traitement sur un calendrier lui est devenu impossible.

Antoine, démuni face à la réponse insatisfaisante de sa fille, soupire. Probablement, en a-t-il espéré davantage.

La froide cruauté de l'éclairage hospitalier fait ressortir les traits de son père qui paraissent plus tirés que d'habitude. Les événements de cet été l'ont vieilli. Sa chevelure, encore d'un beau cuivré uniforme au mois d'août, se voit mutilée par des dizaines de cheveux argentés venus s'y insinuer de part et d'autre. Un effet pervers de la tristesse d'âme.

— Auprès de qui t'es-tu fournie ? s'acharne-t-il encore. C'est la meilleure, son père la prend pour une droguée !

— Une fille.

— Quelle fille ? Salomé ?

— Elle n'a rien à voir là-dedans, arrêtez de l'accuser à tort et à travers ! C'est ma meilleure amie, il faudrait que vous vous mettiez ça dans le crâne, se braque-t-elle.

— Bon, bon... tu aurais dû nous en parler, à quoi servent les parents si ce n'est pour secourir leurs enfants ?

— Ben voyons, t'as raison, siffle-t-elle, condescendante, vous étiez trop attachés à vous ignorer, maman et toi, pour vous soucier de moi.

— Tu te souviens de notre conversation où je te disais qu'il n'y avait rien de mal à se faire épauler ? Je pense que le temps est venu, lui annonce-t-il.

Malgré l'insolence et l'agressivité gratuite de sa fille, il reste stoïque, au grand étonnement d'Alizée, plus habituée à ce qu'il botte en touche à la moindre contrariété.

— Sauf que toute cette merde n'a rien à voir avec la mort d'Alice, vocifère-t-elle, de nouveau parée à lancer une contre-offensive, je n'aimais pas mon corps, j'avais envie de maigrir, c'est aussi simple que ça ! Il ne faut pas chercher des raisons abracadabrantesques à tout.

— L'une de tes copines va te remplacer pour le spectacle du Téléthon. Céline quelque chose, si j'ai bien compris, il paraît qu'elle connaît ton rôle par cœur.

— Je l'aurais parié et ce n'est pas ma copine, c'est une petite peste, explose Alizée, je refuse qu'elle me remplace, n'importe qui, mais pas cette langue de pu... de vipère !

— C'est ta professeure de danse qui l'a désignée. L'échéance du spectacle point. Quoiqu'il advienne, ma puce, ce n'est pas raisonnable. Tu imagines, si tu t'effondrais sur la scène au beau milieu du spectacle ? Je ne veux pas que tu mettes ta santé en danger pour un simple gala de danse, cela n'en vaut pas la peine.

— Mais vous êtes qui, vous tous, pour décréter ce qui est bon pour moi ? Vous voulez ma mort ou quoi ? s'écrie Alizée, recroquevillée en pleurs, la main tordue sur son cœur, j'ai bossé comme une dingue pour être au top le jour J et c'est comme ça que vous m'en félicitez ? Au pire, je danse vendredi soir, après, je reviendrai tout de suite ici si ça vous chante. Je m'en fous, moi, tout ce que je veux, c'est danser... Laissez-moi danser, je vous en conjure ! Laissez-moi monter sur scène ! Ne m'enlevez pas ça, c'est vraiment tout ce qu'il me reste maintenant...

Un instant interdit, bouleversé, son père tend à prendre sa fille dans ses bras puis se ravise de crainte de déclencher une réaction plus épidermique que la précédente.

— D'accord, concède-t-il tout en descendant de son assise, je vais tâcher de trouver la chef du service pour lui en toucher deux mots, ensuite, je demanderai à ta mère de me transmettre le numéro de ta professeure de danse. Allez, il ne devrait pas y avoir de soucis. Tranquillise-toi et repose-toi en attendant.

— Merci papa...

Son père se dirige vers la sortie et tourne la poignée. Il semble se tenir au-devant de quelqu'un, mais de son lit, Alizée ne distingue aucune silhouette. Qui est-ce ? Sa mère, Vincent, Salomé ou... serait-ce ? Non, qu'elle arrête de rêver.

Son sang-froid lui a fait faux bond face à son père, elle est allée trop loin, elle le sait, mais sa colère l'a emportée sur la raison. C'est aussi lui qui l'a poussée à bout, après tout, elle n'a fait que répondre à ses attaques, rien d'autre.

Dans le temps qu'a duré sa conversation avec elle-même, son père a entrepris un pas sur le côté, s'est ensuite déporté à sa gauche pour enfin laisser le passage libre à la nouvelle venue. Ce n'est pas sa mère, non, c'est bien pire. Une femme d'âge moyen, blonde, les cheveux en bataille, un carnet de notes noir à la main, le corps boudiné dans une blouse blanche typique des milieux hospitaliers inadéquate à sa morphologie, s'avance droite comme un piquet. Rien que de la regarder, Alizée en a la nausée. Nul besoin de faire les présentations, Alizée a compris l'essentiel. Ses parents ont décidé de ne pas consulter leur fille au préalable, la visite de son père n'a été orchestrée que pour la forme. Cette femme fait partie de la secte, Alizée en mettrait sa main à couper ! C'en est une, oui, c'est une de ces satanées psychologues haïssables !

Son père aussi courageux qu'un lézard profite de la percée de la psychologue pour s'évader en roublard qu'il est. Les voilà seules. La traîtrise paternelle a refroidi le peu de chaleur contenue dans l'atmosphère de la pièce, pourtant déjà bien assez glaciale au goût de la jeune hospitalisée. Et il ne faudra pas compter sur elle pour la réchauffer, elle qui déteste ce corps de métier aussi loin que la porte sa mémoire. Pire, elle espère de toute son âme que son animosité à son égard transparaisse. Avec un peu de chance et de persévérance, cette nuisible se tirera plus vite que prévu.

Son plan d'attaque :

1) L'indifférence.

Alizée ne s'est même pas donné la peine de répondre lorsque le docteur Salaun, parachutée bretonne, s'est présentée.

2) Le mépris.

Dans la même veine, elle a décidé de lui offrir pour unique interlocuteur, son dos, lequel est enclin à être aussi bavard que sa propriétaire. À choisir, leur sordide jardin recèle plus d'attraits que cette bonne femme ébouriffée. Un jardin qu'ils osent, par ailleurs, nommer « espace vert » alors qu'il ne mesure au bas mot que vingt mètres sur trente. Pitoyable.

— Ne vous fatiguez pas, je n'ai rien à vous dire, déclare le dos d'Alizée.

Pendant un court instant, la jeune renfrognée ne perçoit aucun son, excepté celui des pas incessants résonnant dans le couloir que sa chambre longe.

— Je ne suis pas là pour cela, jeune fille. En tout cas, pas encore, rectifie la quadra offensée d'une voix assurée et ferme. Je viens seulement vous informer que vos parents ont entrepris la démarche d'admission dans notre service en votre nom pour que nous vous prenions en charge pour une durée à définir.

Le sang d'Alizée ne fait qu'un tour.

— Quoi ? Durant combien de temps exactement ? J'ai mon gala de danse dans deux jours, mon père est allé s'occuper de ça, je dois danser, fulmine-t-elle en bondissant de rage sur son matelas bien trop dur, ils n'ont pas le droit de m'interner de force ! Je refuse, je veux sortir d'ici, bordel de merde !

En réponse aux invectives et aux larmes d'impuissance de sa future patiente, la psy robotique n'affiche que froideur impassible.

— Sauf preuve du contraire, vos parents ont tous les droits, jeune fille, vous êtes mineure. Cela vous fera du bien de rester quelque temps parmi nous, vous avez l'air d'en avoir grand besoin, lui assure-t-elle avec une autorité digne d'un adjudant-chef, dans l'attente de votre transfert dans notre département, je vous laisse ces brochures. Ne faites pas l'enfant, lisez-les.

— Vous pouvez aller vous faire foutre, vous et vos brochures ! éclate Alizée tandis que le docteur Salaun tourne les talons en direction du couloir, sourde à l'impolie indignation.

— Ah, mais qui je vois là ? C'est la folle ! Alors, ils t'ont laissée sortir de l'asile ? l'interpelle violemment Céline lorsque Alizée arrive dans les loges du théâtre, et sinon, t'as des cachetons à prendre et tout ?

La responsable du département psychiatrique de la polyclinique lui a fait une fleur en répondant par la positive à sa requête. Semblable à Cendrillon, sa liberté prendra fin d'ici demain. En effet, demain matin, dix heures, elle devra se représenter à l'accueil de sa future prison aseptisée.

— Arrête Céline, tu exagères là, tente de la calmer l'une de ses acolytes.

— Quoi ? Je devrais être à sa place ! Ça devait être mon moment et je me fais voler mon rôle par une désaxée déséquilibrée ! Elle n'avait pas le droit de me faire ça, je mérite le succès !

Trop, c'est trop, Alizée fait demi-tour, hors d'elle, et s'arrête net devant la fouteuse de merde exaspérante.

— Je te vole ton rôle ? crache Alizée, prête à imploser, qu'est-ce qu'il ne faut pas entendre ? J'ai obtenu ce rôle à la loyale, tu le sais très bien, merde ! Et si tu n'es pas contente, tu n'as qu'à aller te plaindre auprès de mademoiselle Bulowski ! C'est elle qui m'a choisie, je ne l'ai pas soudoyée à l'aide d'un gros chèque ou par je ne sais quel autre moyen ! Va cracher ton venin ailleurs, sale vipère, moi, je sature ! La jalousie t'étouffe, ma pauvre. Si je suis meilleure que toi, tu ne peux t'en prendre qu'à toi-même !

Dans un premier lieu, la menace du retour de bâton a traversé l'esprit d'Alizée et peut-être que Céline y a sérieusement songé, quoiqu'il en soit, au vu de l'aberration qui se lit sur son visage, la stratégie de repli s'est finalement imposée à cette empêcheuse de tourner en rond et dans un dernier feulement de féline en rogne, Céline se résout à débarrasser de ses affaires l'emplacement destiné au premier rôle féminin.

Le spectacle ne va pas tarder à commencer. Les familles se pressent pour dénicher le meilleur siège où elles pourront insuffler à leurs enfants leur fierté vaniteuse sous les notes emblématiques de la musique du Téléthon. Toute sa vie, la grosse machine associative n'a été rattachée qu'à cette mélodie entraînante.

Bientôt, les lumières s'éteignent, les bouches se ferment, la tension est à son comble chez les artistes en herbe.

De la coulisse, Alizée attend son tour en contemplant ses camarades sur le plateau. L'enchaînement de pas final en marque de son imminente entrée sur scène se manifeste bien assez tôt. Arabesque, pas chassé et grand jeté lui donnent le feu vert pour sa variation solo. C'est alors qu'elle croise Céline, son regard trahissant une haine nourrie, et sans qu'elle ne saisisse comment, Alizée s'étale de tout son long dans la coulisse, non sur la scène, fort heureusement. Au pire des cas, la majorité des spectateurs ont pu voir surgir une main pendante sur le bord de scène. Cette garce a osé lui faire un croche-pied, elle va le payer, Alizée se le jure, cette petite raclure va regretter son geste ! Mais pour l'heure, une seule chose compte : son solo. Cette future jouissance patientera au placard des vengeances à assouvir. En dépit de deux malheureux temps de retard, Alizée se place et débute sa variation avec le sourire comme si de rien n'était.

Parler n'est pas une prérogative à la pratique de la danse et c'est ce qui en fait justement l'attrait aux yeux d'Alizée. La parole n'est plus admise sur la scène de cet art. Si l'on souhaite s'exprimer, il faudra faire appel à sa voix intérieure, celle qui vient des tripes, celle qui ne ment jamais. Elle ne peut tricher ainsi surélevée sur ce plateau, elle se ressent vivante, palpitante, virevoltante, appréciée pour ce qu'elle incarne, pour ce qu'elle donne. Les mouvements s'enchaînent avec grâce et volupté à chacun de ses passages faisant en sorte de perfuser au mieux ces spectateurs d'un soir de son amour pour le sixième art et le public le lui rendra comme jamais lors du salut final. Elle se nourrira de leurs applaudissements vifs et ardents qui, sans même le vouloir, lui transmettront par ce biais une force gigantesque indescriptible capable de raviver son courage éteint.

Ce sera une sérénité de bien courte durée.

Dès le lendemain matin, Alizée est transférée avec la consigne stricte de confier son portable à une tierce, en l'occurrence, son père. L'inchangée figure d'autorité la pousse, elle et son fauteuil roulant en silence, consciente du cœur animé de rancœur de sa fille depuis l'épisode de la psychologue, la trêve éphémère nommée gala ayant déjà pris fin. Le fauteuil… encore une humiliation dont Alizée aurait bien voulu s'épargner.

Pour se rendre à l'annexe « psychiatrie », il faut traverser le complexe hospitalier dans son intégralité, histoire de dégonfler un peu plus le moral. « Cachez ces fous que je ne saurais voir », telle est leur devise. Exposer des malades mentaux aux yeux et au su de tous n'attire personne, alors, autant les planquer. Ces salauds n'ont pas complètement tort dans un sens. Des fous… Que va faire Alizée parmi eux ? Ce n'est pas sa place ! Et quand bien même aurait-elle des soucis d'ordre psychologique ou relationnel, ce n'est pas là-bas qu'elle les réglera. Ce n'est pas en côtoyant des détraqués, des névrosés, des handicapés de la vie qu'elle se sentira mieux. Elle ne se voit pas du tout sortir une ou deux semaines plus tard, béate de satisfaction, avec une joie de vivre indicible retrouvée, remerciant le personnel et ses parents de l'avoir internée contre son gré. Ah, la blague !

À peine installée et déjà la première déconvenue. Sa chambre est double. Avec un peu de chance, personne encore ne lui a attitré de compagnon d'infortune. Les murs peints de vert anis en vue d'apaisement des états d'âme les plus récalcitrants n'inspirent que du dégoût aux pupilles de la jeune fille. Y mettrait-elle de la mauvaise volonté ? Euphémisme, fidèle ami, c'est incontestable. Elle a décidé de détester tout ici jusqu'au choix de la couleur des chaises parce qu'ils le méritent mille fois tous autant qu'ils sont !

Soutenue de son humeur volcanique, Alizée continue l'inspection d'un œil lointain. On peut en conclure au regard de la monochromie de cette pièce que le département a dû soit avoir un prix de gros sur le pot de peinture de couleur vert bébé-vomi, soit a bénéficié d'un financement obscur de la part de l'association du mauvais goût. En plus de la mocheté caractérisée du lieu, ce trop-plein de vert clair môme procure à Alizée la désagréable sensation d'une entreprise ciblée d'infantilisation orchestrée en haute sphère. Il ne lui manque plus qu'une couche et un hochet pour rentrer dans ce rang attribué. Son unique perspective d'évasion se figure dans ces deux maigres fenêtres au travers desquelles une poignée de malades, sûrement des pensionnaires de cette aile hospitalière, se baladent l'air hagard, engoncés dans ce jardinet délimité à outrance. Quelle horreur, elle est entourée de dérangés mentaux réels.

Son père, toujours à ses côtés, lui indique le lit à proximité des fenêtres. Saugrenue idée. Si une envie de suicide la démange, elle n'aura pas long à faire pour sauter par-dessus bord, mais admettons. Alizée ne lève pas son cul de son siège monté sur roues pour autant, elle y reste même solidement accrochée. On la considère comme malade ? Elle va leur en donner pour leur argent et leur offrir ce qu'ils veulent. « Venez admirer Alizée dans son plus grand rôle ! Alizée, la malade mentale qui s'ignore ! » Un rôle renversant de platitude.

Son exaspération s'accroît quand elle découvre avec effroi, sur la table de chevet, les brochures de « bienvenue » refilées par la psy le mercredi dernier, accompagnées en plus d'une lettre commençant par :

« Chère vie,
Tu es ma pire ennemie parce que… »

À croire qu'elle vient d'intégrer non pas une aile psychiatrique, mais bien une secte ! C'est quoi ce délire à devoir s'adresser à des entités comme à des personnes de chair et d'os ? Et c'est elle qui nécessite des soins ? Quelle plaisanterie !

Alors qu'elle planche sur un énième fantasme d'échappée illicite, son père, nerveux, brigue une approche :

— J'ai conscience que tu nous hais ta mère et moi, mais on se sent démunis face à la tournure inattendue qu'ont prise les choses, lui avoue-t-il, la gorge râpeuse. Comprends-nous, on ne savait pas quoi faire pour te libérer de ce poids qui pèse sur toi. Tu ne parles à personne de la façon dont tu abordes la mort de ta sœur, de ce que tu ressens et maintenant, cette histoire de pilules que tu prends derrière notre dos ? On ne savait pas quoi faire.

Bien que son intervention parte d'une bonne intention, elle ne fait, au contraire, que l'enfoncer davantage en mettant l'accent sur le sentiment de trahison que nourrit Alizée à l'encontre de ses deux parents au plus profond de ses entrailles, car elle a beau y mettre du sien, elle ne peut consentir à ce qu'un internement non désiré de son propre enfant s'impose comme première alternative à un problème existentiel.

— C'est toi qui oses me reprocher mon silence ? Parce que toi, tu crois peut-être que noyer ton chagrin dans l'alcool amène à la communication ? Oui, je t'ai surpris ! Alors, laisse-moi rire ! Tu veux vraiment me faire plaisir ?

Son père, désarçonné de percevoir la voix de sa fille après deux longs jours de silence, même si l'offrande en insanités n'est en rien réjouissante pour lui, tressaute.

— Oui, bien sûr, dis-le-moi.

— Sors d'ici, fous-moi la paix, je veux être seule ! Tire-toi ! lui balance-t-elle au visage, une lueur glaciale dans les yeux.

La violence de la réponse transforme la stupéfaction de son père en une profonde tristesse. Qu'importe pour Alizée, il l'a bien cherché. À quoi s'est-il attendu ? À ce qu'elle se pende à son cou comme à la Toussaint ? Sauf que ce jour-là, personne ne l'a amenée où que ce soit contre son gré. Elle en veut à son père, c'est un fait, mais celle sur qui se cristallise sa colère la plus bouillante, c'est la grande absente de ces quatre derniers jours retenue par un déplacement professionnel, on ne sait où. Celle qui n'a pas daigné se déplacer au spectacle de son dernier enfant, retenue à bichonner ses artistes ratés dont elle exposera les croûtes : sa mère. Leur relation en sortira détériorée, pour ce qu'il en reste. Elle les déteste, les hait, les méprise de lui infliger cette humiliation.

Quelqu'un toque peu après le départ de son père, parti dévasté. Convaincue que le personnel outrepassera son désir de rester seule, en cela, il apparaît inutile à Alizée de manifester sa présence. Elle restera muette, droite comme un i au cadran de la fenêtre. En effet, le *quelqu'un* en question ne s'embarrassera pas de bienséance et pénétrera dans la pièce. Leur indélicatesse à son égard continue de générer un énervement abyssal chez Alizée. C'est trop leur demander de la laisser en paix quelques heures, histoire qu'elle s'acclimate à ces nouvelles conditions carcérales ? À l'analyse de leur comportement, elle exige trop d'eux, oui.

— Bonjour Alizée, la salue joyeusement une probable aide-soignante trentenaire blonde Heidi.

Aucune réponse.

— Je me présente, je suis Méline, ta référente. Tu te demandes sûrement en quoi consiste une référente ? Eh bien, en d'autres termes, nous passerons ensemble en revue le programme de la journée à venir au petit matin et nous referons le débriefing de la journée passée au terme de celle-ci, en début de soirée. Tout est clair pour toi ? s'enquiert l'infirmière au sourire niais.

Visiblement, elle croit avoir affaire à un individu doté d'un coefficient intellectuel proche du calamar. Agréable… Alizée peine à exécuter un minable hochement de la tête tant ce ton débilitant au possible la met en rogne. Et qu'elle ne lui reserve surtout pas le coup des questions/réponses en solo, car Alizée ne répondra plus de rien et au moins là, ils auront véritablement de quoi l'interner.

— On commencera cet après-midi par un cours de mosaïque, poursuit la Casimir en herbe.

— Un cours de ? reprend Alizée, incrédule, pensant avoir mal compris.

— Un cours de mosaïque en groupe, précise Méline toujours aussi exaspérante, il débute à quatorze heures, je viendrai te chercher, ne t'en fais pas, tu ne te perdras pas dans ces longs couloirs.

Se paumer est le cadet de ses soucis. On se fout d'elle. Bien entendu, elle a imaginé participer à un atelier en groupe, mais à un groupe de parole merdique, non à un stupide cours d'artisanat.

Au grand dam d'Alizée, Méline est ponctuelle. Treize heures cinquante et là voilà qui se pointe emballée de son humeur guillerette sous amphét'.

Lorsque Alizée se présente au lieu de l'atelier, elle se rend compte qu'elle est bonne dernière, elle est pourtant loin d'être en retard d'après la grosse horloge dont est orné le mur de gauche. Ces gens sont frappés s'ils attendent avec véritable impatience un truc ô combien insignifiant comme cet atelier de crétins.

— Tu dois être Alizée, nous t'attendions. On va pouvoir attaquer le cours en toute quiétude, intervient un jeune homme brun plutôt pas mal après qu'il se soit levé de sa table de travail pour l'accueillir.

Alizée esquisse un sourire poli et s'assied sur la seule chaise de libre autour d'une petite table de quatre places. Ces camarades d'infortune se nombrent en une petite dizaine, affublés de tabliers blancs à pois ridicules, tous hypnotisés par leur planche de travail tout, accaparés à briser à l'aide de pincettes des bouts de mosaïque de couleurs diverses. Alizée en gerberait. Cette joyeuse troupe de zombies médicamenteux lui donne envie de dégobiller sec. Franchement, qu'est-ce que ces gens peuvent bien trouver de si enrichissant dans l'acte de coller des morceaux de poterie multicolore entre eux, il faut qu'on le lui explique.

— Sur quoi veux-tu travailler ? Sur un tracé pré-dessiné ou laisser libre court à ton imagination ? lui soumet l'animateur.

— Bof, peu importe.

— Si, dis-moi, se borne le têtu.

— Un déjà fait, se décide Alizée avec le désir d'en finir, et on est censé faire ça jusqu'à… ? Parce que je sens que ça va très vite me soûler.

Cette Méline, aussi inutile qu'elle est, a cru bon d'oublier de lui mentionner ce détail ce matin.

— Tu n'es pas obligée de l'achever aujourd'hui, tu sais, nous ne sommes pas pressés et ce n'est pas un but en soi.

Fait-il semblant de ne pas saisir le sens de son interrogation ou est-il simplement limité à l'image de ses collègues ? Si le personnel de soin est aussi fracassé que les patients qu'ils s'évertuent à vouloir soigner, elle risque de sortir de cet enfer à la Saint-Glinglin. Tant pis, autant laisser tomber, elle n'approfondira pas la question. Cette satanée activité s'arrêtera dans l'après-midi de toute évidence, elle n'a donc plus qu'à prendre son mal en patience en faisant mine de prendre part à leurs futilités. Cependant, elle ne tiendra pas longtemps, elle le craint.

— Hé, salut, moi, c'est Alicia. Et toi ? fait une voix fluette après quatre pièces morcelées fixées au hasard.

En relevant la tête de sa production ratée, Alizée découvre le visage de celle qui l'a sortie de ces rêveries, une étrange jeune fille aux cheveux si clairs qu'ils paraîtraient presque blancs.

— Alizée, répond-elle simplement.

— J'ai tenté de me suicider et toi, pourquoi tu es ici ?

Belle entrée en matière… Et une nouvelle représentante du monde merveilleux des neurones en vrac, une !

— Rien d'aussi grave, j'ai fait un banal malaise. Je n'ai rien à foutre ici, pas comme toi, dit Alizée alors qu'elle remarque les bandages que Alicia arbore à ses poignets fragiles de cristal tels deux bracelets.

— Tu verras, tu te sentiras bien ici, les gens sont si gentils avec nous.

Soudain, prise d'une pulsion, Alizée tire sa chaise et se lève en direction de la porte. Plutôt crever que rester une seconde de plus parmi eux.

— Je peux savoir où tu comptes aller comme cela ? L'atelier est loin d'être terminé, il nous reste encore une bonne heure à passer tous ensemble, lui annonce le type brun à présent plus tellement canon lorsqu'il la rattrape.

— J'ai eu ma dose pour un premier cours et j'en ai assez entendu pour aujourd'hui, lui souffle-t-elle à la tronche, excédée par cette mascarade qui n'en finit plus.

— Sauf que l'horaire de fin ne dépend pas de toi. Alors, tu vas faire comme tout le monde, te remettre à ta table et poursuivre la création que tu étais en train d'ériger, lui conseille-t-il sur un ton pour le moins autoritaire.

— Sinon, quoi ?

— Sinon, rien, mais sache que cet incident sera rapporté à ta référente, sois-en certaine.

Du chantage ? De mieux en mieux. On touche le fond.

— Ouh, j'ai peur… Vous me faites marrer, vous croyez vraiment que bidouiller de la mosaïque pour en faire un putain de tableau tout pourri va venir en aide à ces gens et régler leurs problèmes ? C'est de la connerie pure et dure, s'énerve Alizée en jetant son tablier au sol.

L'animateur fronce les sourcils, visiblement peu enclin à plier au sujet de l'impertinence de sa nouvelle adhérente.

— Tu me feras le plaisir de te calmer, cet atelier est conçu pour que vous puissiez faire le vide dans vos vies et dans vos têtes, penser à autre chose et ne plus être parasités par vos démons intérieurs. Prends plutôt exemple sur tes camarades qui voient, eux, contrairement à toi, où se trouvent leurs intérêts.

Oui, elle les regarde justement et ce qu'elle y décèle la désole. Tous ces gens ont l'air trop défoncés pour songer à leur propre sort et c'est là que réside l'inquiétude d'Alizée.

Après moult tergiversations avec son moi maléfique, la ballerine désabusée se résout à obtempérer, ramasse son tablier et se rassoit à sa table sous le regard satisfait de l'animateur heureux d'avoir su gérer au mieux l'emportement de la jeune fille.

En se réinstallant non sans lourdeur, Alizée a l'amère impression qu'aucun de ses camarades de pénitence ne semble avoir prêté attention au mini scandale qui vient de se dérouler en leur présence. Quand certains triment à assembler deux bouts de carrelage entre eux, d'autres fixent un point invisible dans le vide. Soit ils sont trop abrutis par la dose journalière de médocs que ces blouses blanches leur enfournent, soit ils sont habitués à assister à ce genre de scène où de nouveaux pensionnaires réfractaires rejettent leur condition avec violence avant de plier comme les autres face au diktat du valium et autres exomyl.

Devant cette vision d'effroi, Alizée se jure qu'elle ne se joindra jamais à cette bande de lobotomisés quoi que lui réserve son futur.

À la fin de l'atelier, tout ce petit monde bien docile se lève et se disperse le seuil passé. Alizée se faufile entre deux zombies à couettes de peur de se faire alpaguer par le moniteur, mais il n'en sera rien. Le temps libre se pressant toujours, elle décide de flâner dans l'aile du service avant de regagner sa chambre. Heureusement, ils se sont pas assez pétés du casque au point d'instaurer un couvre-feu précoce à leurs prisonniers, du moins, elle croise les doigts.

Sentant les lueurs rougeoyantes du crépuscule poindre, Alizée a l'audace d'espérer échapper à l'examen approfondi de ce premier jour, hélas, Heidi n'est pas femme à manquer l'appel et vient frapper à sa chambre à vingt heures précises.

— Bonsoir Alizée, aloooors, comment s'est passée cette toute première journée au centre ? demande-t-elle avec l'air d'un bisounours sous taz.

— Bof… Le mot qui me vient tout de suite est banal, un après-midi ennuyeux sans intérêt, rétorque-t-elle en regardant Méline agripper un tabouret à proximité, sortir un stylo ainsi que son petit carnet de notes.

— En es-tu bien sûr ?

Un silence s'installe.

Et merde, si tout le monde cafte, à quoi bon se livrer à cette mascarade quotidienne ?

Méline la sonde du regard quémandant un aveu d'Alizée, mais se rendant à l'évidence que ce dernier ne viendrait jamais, elle cède, un rien déçue, puis reprend :

— J'ai croisé Hugo il y a trente minutes à peine, il m'a raconté l'incident survenu pendant l'atelier de mosaïque. J'ai obtenu sa version des faits, j'attends la tienne, s'il te plaît.

Avec un tel vocabulaire, Alizée pourrait jurer que Méline est sur le point de lui sortir des menottes avant de lui rappeler ses droits. Ndlr : trop de séries américaines tuent le savoir des jeunes en matière de procédures judiciaires françaises.

— Un incident mineur qui n'a foutrement aucune espèce d'importance, ce type est un abruti fini, fulmine Alizée entre ses dents.

— Insulter les gens ne te mènera à rien ici ainsi que dans la vie en général, d'ailleurs, Alizée. Tu mentionnes un incident mineur. Dis-m'en plus, insiste la référente soûlante, scribouillant dans le même temps sur une page vierge de son carnet déjà bien rempli, parce que ce n'est pas ce qui m'a été rapporté. Hugo m'a certifié que tu avais perdu ton sang-froid sans raison apparente, et ce, au beau milieu de l'atelier, que tu avais dénigré son travail devant le reste des pensionnaires.

C'est un canular, on se fout de sa gueule !

— Dénigré son travail ? Qu'est-ce qu'il ne faut pas entendre ? Non, mais vous n'allez pas me dire que ces zombies ont été choqués par mon comportement ? Pas un n'a bronché ! Faut pas déconner, s'emporte une nouvelle fois Alizée.

Elle devrait prendre sur elle, se détendre, mais c'est plus fort qu'elle. Si ça continue comme ça, elle va réellement finir par devenir marteau et ils en seront responsables.

— Puis-je savoir à qui tu fais référence lorsque tu emploies le terme de « zombis » ? la questionne Méline, surprise.

Chiante et conne par-dessus le marché ! Alizée s'enfonce impuissante, forcée d'explorer les profondeurs de la bêtise humaine.

— Devinez... C'est facile pourtant ! Eux ! Les malades, les patients ou les pensionnaires comme vous vous plaisez à les nommer. À les voir errer dans les couloirs, on devine la sécheresse accrue de leur cerveau inactif. Du coup, zombies, c'est un surnom qui leur correspond bien, il leur colle à la peau, je trouve.

— Hmmmmm, se contente-t-elle de déclarer tandis que son stylo reprend sa course folle sur le papier.

— On ne peut pas dire que vous soyez particulièrement loquace pour une psy...

Excédée, Alizée bondit de sa chaise et commence à faire les cent pas dans sa cellule. Une stratégie pour ne pas péter un câble et leur donner davantage de raisons de la garder cloîtrée entre ces murs.

— Je suis thérapeute et non psychologue, rectifie inutilement la préposée aux soins des esprits dérangés.

— Ah ouais parce qu'il y a une différence ? grommelle Alizée en levant les yeux au ciel face à la nullité de la réplique de son interlocutrice.

Cette dernière note et note encore.

— Je peux savoir quand je sortirai d'ici, vous ne pourriez pas me donner une échéance ou une fourchette, au moins ça ? poursuit Alizée.

La thérapeute semble étonnée de la requête.

— Tu viens d'arriver parmi nous et je te ferai également remarquer que nous t'avons déjà accordé une autorisation de sortie exceptionnelle pour ton spectacle de danse, observe-t-elle avec un grand sourire qui apparaîtrait dans le contexte de la conversation presque sadique, en premier lieu, tu devrais chercher la source de ces emportements disproportionnés avant ne serait-ce que de songer à un quelconque départ de chez nous. As-tu écrit la lettre que je t'avais demandée ?

Alizée se retrouve sonnée. Se débarrasser de sa colère ? Comment faire alors qu'elle n'identifie toujours pas elle-même la raison de sa présence ici ? Le refus de parler n'est pas un prétexte valable à l'internement, sans quoi, un bon nombre de personnes sur cette putain de planète atterrirait dans ce type d'établissement, et est-ce le cas actuellement ? Pas qu'elle sache en tout cas. Et comment ne pas s'agacer lorsqu'on vient l'emmerder à lui poser des questions basiques ou en la faisant participer à des activités inintéressantes ? Pourquoi est-elle en pétard ? Elle est révoltée contre ses parents qui l'ont foutue dans cet asile de force, est-ce si difficile à comprendre pour ces demeurés ? Cette bonne femme a dû obtenir son diplôme dans un Happy Meal ou une pochette surprise pour se tromper autant dans son analyse. Tous des nazes.

— Combien de fois je vais devoir vous le répéter ? Je ne suis ni dépressive ni anorexique ! Je ne suis pas idiote, m'imposer la présence d'un aide-soignant lors de mon repas n'a pas été décrété au hasard, vous souhaitez surveiller mon comportement alimentaire ! Vous risquez d'être déçus, j'ai pris ces cachets uniquement parce que je voulais maigrir, juste un tout petit peu, de cinq kilos maximum. On n'a jamais vu de danseuses classiques boulottes, elles sont toutes extrêmement minces, cela n'a rien d'extraordinaire dans ce milieu. Je contrôle.

— Tu ne contrôles rien, Alizée, et c'est justement ce qui t'a amenée ici. Et pour ta gouverne, cinq kilos de plus ne constituent en rien un surpoids.

— Vous déformez mes propos, je ne parlais pas de surpoids, juste que sur moi, cinq kilos, ça fait tache. Ma morphologie est faite comme ça, la moindre petite bouchée, je la prends dans les hanches et les cuisses, je sais ce que j'avance.

Comme elle aimerait pouvoir appeler Salomé. Elle saurait lui remonter le moral, elle, avec son don de dédramatisation irremplaçable.

La thérapeute-psychologue-psychothérapeute, etc., etc. éclipsée, Alizée s'en va s'accouder au rebord de la fenêtre. Au travers, un minuscule rouge-gorge prend son envol de la branche du pommier du petit parc pour bientôt disparaître dans un bosquet avoisinant. Elle s'amuse à s'imaginer réincarnée dans la peau de ce minuscule oiseau, en train de planer au rythme capricieux du vent, de goûter à la liberté de ne plus se torturer l'esprit à tort et à travers à cause de l'avenir, de ne penser qu'au présent dénué de toute préoccupation à part celle de dénicher quelques fruits juteux ou goutteux vers de terre à se mettre dans le gosier et voler loin de cette bouse ambiante nauséabonde. L'imagination, son ultime issue de secours.

Les jours se suivent et se ressemblent, ici encore plus qu'ailleurs. Un matin alors qu'elle termine d'ingurgiter un petit-déj' tout ce qu'il y a de plus immangeable, Méline revient à sa rencontre lui exposer le programme de son énième journée. Celle-ci ne se composera que d'une séance de groupe à la mi-matinée et d'un cours de yoga en intérieur durant l'après-midi. Alizée se rend à la salle de la réunion, accompagnée de la référente, trop collante, qui la laisse à l'entrée de celle-ci après avoir pris soin de saluer d'un mouvement de tête sa jeune condamnée frappée de lassitude. Des chaises positionnées en couronne occupent les trois quarts de la pièce. La plupart sont vacantes. Une chance pour Alizée, elle n'aura pas à se coltiner trois mille histoires toutes plus pathétiques les unes que les autres.

— Assieds-toi, l'invite aimablement la responsable du groupe.

Alizée s'exécute sans accorder un regard à l'assistance.

— Nous attendons encore une personne après toi, nous avons besoin de tout le monde pour débuter les présentations, reprend-elle d'une voix claire, c'est un rituel que nous avons instauré. Chaque nouveau venu doit se présenter brièvement aux autres de sorte que la glace se brise et que la confiance puisse s'instaurer entre nous tous. Aujourd'hui, nous avons le plaisir d'accueillir Alizée, arrivée samedi dernier et Alicia, lundi.

Alizée suit la portée du regard de la quadra au visage rond et fossette au menton au nom encore inconnu et, comme pressenti, tombe sur la même gamine farfelue rencontrée au cours de mosaïque.

— Alicia, si tu désires commencer, l'incite-t-elle à se raccrocher à sa prise de parole tandis que la jeune menue entortille une mèche de cheveux d'une main nerveuse en observant le retardataire prendre place dans la ronde de chaises.

— Je m'appelle Alicia, j'ai douze ans, peine-t-elle à articuler tant son stress l'accable, je... dois dire pourquoi je suis ici ? C'est ça ?

— Oui, ce serait appréciable.

— Je… Euh je… mes parents m'ont trouvée jeudi dernier. Je ne m'en souviens plus trop, j'étais inconsciente pendant ce moment, on me l'a racontée après et quand je me suis réveillée, j'étais dans un lit à l'hôpital. J'y suis restée pendant… euh trois jours, je crois et ensuite, j'ai été transportée ici.

La voix fluette de la blondinette semblable à celle d'un fragile rossignol n'atteint l'ouïe d'Alizée que partiellement.

C'est étrange, elle n'était pas si réservée à leur rencontre, au contraire, Alizée l'a trouvée déconcertante d'impudeur à lui balancer sans aucun préambule sa tentative d'en finir avec la vie et maintenant, elle fait du chichi ? On mettra cette timidité sur le compte du fait de s'exprimer en public. Elle termine pourtant par exposer, non sans mal, son « souci » aux autres joyeux lurons après que la chef de groupe l'y ait poussée, précisant ainsi que ses parents ne l'ont pas découverte n'importe où, mais dans son bain, les veines tranchées. Durant le laps de temps qui lui a fallu pour lâcher ces confidences pénibles, Alicia a gardé ses yeux plantés dans la paume de ses mains minuscules décorées de ses bandages, vestiges de son acte de détresse.

— À toi, Alizée, nous t'écoutons.

« À son tour », c'est bien joli, mais qu'est-ce qu'elle va bien pouvoir leur livrer ? Par où commencer, surtout ?

— Déjà… bonjour à tous. Du coup, comme on vous l'a déjà spécifié, je m'appelle Alizée, je viens d'avoir quinze ans. Pour être honnête avec vous, je ne sais pas vraiment ce que je fous ici. J'ai des soucis, mais qui n'en a pas de nos jours hein ?

Alizée se stupéfait à être aussi nerveuse que la petite Alicia, si ce n'est plus. Sa voix tremblote comme le moteur d'un vieux tacot. Parler de soi devant des inconnus est un exercice ô combien stressant !

— Tu dois sûrement avoir une idée, ne serait-ce que minuscule, intervient Camille, à en croire l'insigne accroché à son pull. Par exemple, que s'est-il passé dans ta vie juste avant ton arrivée entre nos murs ?

— Je… et bien, je me suis effondrée en plein milieu de la répétition générale de mon spectacle de danse. Mes parents accusent les coupe-faim découverts dans mon sac de danse, mais ça fait quasi deux semaines que je n'en ai pas pris. En réalité, je ne me fous pas totalement de mon poids, mais ce n'est pas une obsession, c'est secondaire. Mes parents mélangent tout.

— Soit, tes parents se sont peut-être mépris sur cette histoire de médicaments. Mis à part cela, pourquoi t'es-tu évanouie durant ce cours selon toi ? Tu nous disais précédemment que ton poids était secondaire. Secondaire à quoi ?

— Secondaire à quoi ? répète Alizée, davantage pour elle. Sans doute parce que je ne sais pas gérer mes émotions. Quand je suis mal, je galère pour dormir, pour manger et pour un tas d'autres choses et du coup, ça se répercute sur mon état de santé général.

— C'est entendu… Et pour quelles raisons es-tu mal en ce moment ? rebondit Camille.

À l'instar d'Alicia, Alizée ferait n'importe quoi pour ne pas croiser le regard d'un autre être humain et pour ce faire, celle-ci baisse la tête du côté de ses genoux.

— Mon copain m'a quittée il y a un peu plus d'une semaine sans explication. Mes parents sont à peine au courant de son existence, du coup, ils ne savent rien de rien.

— Et ?

À quoi bon si cette psychologue est au courant de tout avant même que Alizée ouvre la bouche ? Leur fourberie lui fait froncer les sourcils. Toutefois, cette dernière cède volontiers devant cet appel à la confession, consciente qu'il ne sert plus à rien de mentir ou de faire des cachotteries à ce stade avancé de la conversation.

— Et il n'y a pas que la rupture avec mon petit-ami… Ma sœur est morte dans un accident de voiture cet été un peu avant la rentrée scolaire.

C'est dit. C'est fait.

Dix jours qu'elle est maintenant enfermée dans ce bloc aseptisé. Dix longs jours où elle subit ses séances de groupe en serrant les dents au maximum de peur qu'un de ces coups de sang lui vaille deux ou trois journées de bagne supplémentaires. Un rayon de soleil viendra tout de même illuminer son quotidien aujourd'hui. Grande silhouette élancée, veston et chemise blanche impeccables, cheveux tondus à ras, Vincent lui fait l'honneur de prendre part au bal des visites chargé d'un sac en bout de bras. Une fois délesté des amabilités d'usage des traditionnels « comment te portes-tu ? », « ils te traitent bien ? », « tu ne t'ennuies pas trop ? », il en retire un baladeur escorté du CD de *Bowie* comprenant *Space Oddity*, de celui de *Keane* et d'un dernier, un conte de Noël musical, son préféré entre mille, *Le top du père Noël* et le *Witchmag* de décembre.

— Si j'avais su que tu allais atterrir là, j'aurais parlé de ce qu'il s'est passé durant notre week-end de rando. Les choses n'auraient pas si mal tourné. Je m'en veux, j'ai mal géré cette histoire.

Finalement, Charlie n'a pas tenu sa langue.

— Il ne faut pas, tu n'es pas fautif.

— Tu n'arrêtes pas de t'auto-flageller, Alizée. Alors que n'importe qui aurait craqué à ta place. Tu n'as pas conscience de la force qui t'anime.

— Tu mens…

— Jamais.

— Mais toi, tu es resté la tête hors de l'eau et pourtant, tu l'aimais, tu n'as pas flanché.

— Et je l'aime toujours, je ne cesserai jamais de l'aimer. Je fais face en façade. Moi aussi, il m'arrive de flancher et plus souvent que tu ne le crois. Un exemple, j'aurais dû reprendre mon cursus universitaire dès la fin septembre, mais je n'ai pas réussi à trouver la force de continuer mes études sans elle. J'ai perdu la motivation. Son soutien me manque.

Vincent se cale au rebord de la fenêtre, l'attention happée par le ballet tourbillonnant des flocons de neige.

— Je croyais que tu mettais tes études entre parenthèses par rapport à la maladie de ton arrière-grand-mère.

— Ce sont des conneries, admet-il, le regard au loin, au final, elle me soulage autant que je la soulage. On s'aide mutuellement. Elle, le physique et moi, le psychique. En ce qui concerne ta sœur, elle fait partie de ta famille, elle est de ton sang, personne ne pourra changer cela. Ce n'est pas parce qu'elle n'est pas ton enfant contrairement à tes parents que tu n'as pas le droit de la pleurer ou que ton chagrin importe moins que le leur. Alice était ta grande sœur, tu as vécu plus de quatorze ans avec elle, partager de multiples moments de complicité, ce n'est pas rien, loin de là. Elle t'admirait beaucoup, tu avais énormément d'importance à ses yeux.

Alizée ne sait comment réagir à ce flot d'amour. Ces paroles résonnent en elle d'une intensité rare aux confins de la violence. Il a visé juste comme souvent.

— Toc-toc, c'est le service d'étage, s'annonce une voix identifiée amie.

Mathieu, un aide-soignant aux petits soins avec Alizée, rentre, les mains prises par un plateau-repas dont le contenu condamné infect en premier appel par l'adolescente, est dissimulé par des cloches en plastique.

— Je vais te laisser, Lili, décrète Vincent, l'air plus serein qu'à son arrivée.

— Ne vous donnez pas cette peine, vous pouvez rester, répond l'employé hospitalier.

— Non, on m'attend ailleurs, de toute façon. Tu as le bonjour de Sally, précise-t-il à une Alizée désappointée que sa best friend ne s'en charge pas elle-même.

La danseuse affiche tout de suite une mine réjouie lorsqu'elle soulève l'une des deux cloches. La révélation de son contenu réel la laisse bouche bée, car, au lieu d'un infâme mets pâteux sans goût, une part de tarte fumante aux légumes et appétissante enrichie d'une salade de crudités et des falafels bien dodus déclenchent sa salivation. Humer ces fumets la transporte dans un état de plénitude d'une délectation en perspective. En dessous de la seconde, un muffin au chocolat à la noix de pécan non moins attrayant.

— Il y a un snack végétalien biologique derrière l'hôpital. J'ai pensé que cela pouvait t'inciter à apprécier de nouveau tes repas, notifie Mathieu, content de son effet.

— T'es vraiment un amour, merci !

— Sur ce, je te laisse déguster, je n'ai pas terminé ma ronde. Profite bien de ton assiette.

Pour profiter, elle va profiter. Mais alors qu'elle se saisit de ses couverts, l'eau à la bouche, de vifs éclats de voix en bas dans le jardin l'interpellent. Curieuse, elle s'approche de leur source.

— Rentre chez toi, Charlie, tu as fait assez de dégâts comme ça !

Son estomac se noue à la vision du garçon qu'elle a craint évanoui de sa vie.

— Je veux lui parler, laisse-moi passer !

À titre d'avertissement, Vincent le repousse avec une violence que sa protégée ne lui connaît pas.

— Non, je ne te le répéterai pas. Tu dégages ! Je ne te laisserai pas soulager ta conscience.

— Pour une fois dans ta vie, oublie ton rôle de justicier. Alizée n'est pas ta sœur, tu n'as pas à t'immiscer dans ses relations.

— Contrairement à toi, je tiens à elle. Si tu ne veux pas repartir avec un œil au beurre noir, je te conseille de me prendre au sérieux.

Ce revirement de situation désarçonne l'internée. Qu'est-ce qui peut amener Charlie à l'hôpital ? Veut-il discuter avec elle pour s'expliquer ou pour rectifier le tir ? Alizée est contrainte à une lutte acharnée contre elle-même, l'envie d'ouvrir la fenêtre et crier à l'encontre de Vince de le laisser venir à elle la démange. Mais tandis qu'elle se recentre sur l'action réelle de l'altercation, elle constate avec déception le renoncement du guitariste à provoquer le grand chauve aux lunettes sombres au-delà des limites acceptables. Quoi que Charlie ait désiré entreprendre, Alizée n'en saura rien. Cette question devra patienter encore un moment pour espérer se désépaissir. Pour l'heure, elle se préoccupe de sa séance imminente en tête-à-tête en compagnie de Camille, car, depuis la veille, les réunions de groupe ont été troquées en échange d'entrevues individuelles, plus adéquates à l'approfondissement de ses tourments.

— Si tu me parlais un peu de ta sœur ? Fais-moi donc son portrait.

À mesure que la phrase chemine dans sa boîte crânienne, elle réalise que depuis son décès, elle s'est davantage épanchée sur le vide dû à son absence que de sa personne en tant que telle.

— Comment est ma sœur ? Parfaite. Elle est parfaite, intelligente, brillante. Elle a eu pour ambition de devenir psycho-criminologue. Elle est belle, avec de l'humour, de l'esprit, beaucoup de répartie, gentille et généreuse.

— C'est la perception que tu as d'elle, mais je peux t'assurer qu'elle ne devait pas l'être, parfaite, du reste, pas à cent pour cent. Nous venons tous au monde avec notre lot de défauts et de qualités, notifie-t-elle avant de poursuivre, as-tu seulement remarqué que tu employais le présent quand tu faisais référence à elle ?

— Tant que je vivrais, elle restera en vie dans mon cœur. Je ne nie pas sa mort, je sais qu'elle ne reviendra jamais près de moi.

La psy esquisse une moue entendue.

— Sais-tu que le deuil s'orchestre en sept étapes ?

— Plus ou moins.

— Tout d'abord, il y a le choc ressenti à l'annonce puis vient le déni. Après, la colère et le marchandage suivis de la tristesse. La résignation précède l'acceptation. Puis enfin, la reconstruction. Mais ce n'est qu'un schéma indicatif, chaque individu appréhende le deuil à sa façon et surtout, le plus important, à son rythme. Dans ton cas, tu te situes à la seconde étape, la colère, je me trompe ?

Alizée se doit d'admettre la justesse de l'observation au rappel de ces quatre mois écoulés.

— Oui, je crois que j'ai plus de facilité à exprimer cette émotion qu'une autre.

— Pourquoi, à ton avis ?

— C'est l'émotion la moins complexe à gérer pour moi. Ça fait moins mal, comprend-elle d'elle-même.

— D'accord et mets-tu tes actes récents sur son compte ?

— Oui. J'admets que j'ai fait pas mal de bêtises comme voler dans les magasins, boire jusqu'à me mettre K.O ou me taillader parfois, mais vous savez, ce n'est pas parce que je ne m'épanche pas auprès de mes parents que je ne le fais auprès de personne. Depuis le décès de ma sœur, je suis devenue très proche de son petit ami. Même si le fait de me rapprocher de celui qui partageait sa vie fait de moi quelqu'un de pathétique, je m'en balance, sa présence m'aide beaucoup. Je peux compter sur lui.

— Très bien, tu vois que tu sais parfaitement mettre des mots sur ce que tu ressens. J'ai tout de même une dernière question. Serais-tu capable de me dire pourquoi tu as désigné le petit ami de ta sœur comme ton confident et pas une amie ou un membre de ta famille ?

Question facile.

— J'estime qu'il est le seul susceptible de me comprendre. Il est extérieur à ma famille et en même temps, il en fait partie intégrante. On est proches et en même temps, pas tant que ça. Puis je trouve qu'il a l'air de savoir prendre du recul par rapport aux choses tout en étant extrêmement attentionné et à l'écoute. Il ne me sort pas de banalités convenues comme certains. Il est parfait avec moi.

— Je vois...

C'est vraiment tout ce qu'elle a à répondre à la suite de ce que lui a donné Alizée ? Mais alors qu'un procès pour incompétence menace, la psychiatre se décide à continuer son analyse.

— Je voudrais te faire une proposition, Alizée. Au vu de la séance de ce soir, selon moi, tu n'as plus vraiment ta place ici. Tu n'as nullement besoin d'être coupée du monde extérieur pour parvenir à surmonter ce que tu vis en ce moment. Tu parviens à identifier tes maux avec justesse. Nous étions là pour te remettre sur les rails, t'aider à clarifier tes tourments. Cette mission est remplie, proclame la docteure des maux psychiques tandis que Alizée lutte pour ne pas la prendre dans ses bras tant la soudaineté de cette nouvelle la ravit, tu es relativement bien équilibrée compte tenu des circonstances. Après ce que tu as vécu, c'est tout à fait normal de se questionner et de tester ses limites. Personne n'est en droit de t'en faire le reproche. L'infirmière m'a également informée de ta récente prise de poids, tu as apparemment pris un kilo sept. Tout cela est de très bon augure. Qu'est-ce que tu dirais si je faisais mon rapport à la direction du service afin d'appuyer ta sortie dans un futur proche ? Disons, d'ici la fin de la semaine prochaine ?

Alizée n'en croit pas ses oreilles. C'est Noël avant l'heure !

— Je ne dis rien et je vous embrasse ! s'exclame Alizée en sautillant sur place, transportée par une joie intense.

— Mais il y a une contrepartie…

Elle l'aurait deviné, c'était trop beau.

— Laquelle ?

— Je signe ton autorisation de sortie à condition que tu acceptes d'être suivie par un professionnel de santé, poursuit la psy d'un ton empreint de gravité, je ne peux pas te renvoyer chez toi sans cette petite promesse.

— Un suivi, okay, mais de quel genre ?

Alizée est sur le pied de guerre, prête à entendre le pire.

— Je n'officie pas exclusivement dans cet hôpital, je possède également un cabinet en ville et j'aimerais que tu viennes une fois toutes les deux semaines pour commencer, cela te permettrait de te reconstruire dans un contexte extérieur sans pour autant devoir t'éloigner des tiens. J'ai eu vent de ta méfiance vis-à-vis de notre corporation, j'en ai l'habitude, je me suis spécialisée dans le suivi des adolescents alors crois-moi, j'en ai entendu de belles.

S'il n'y a que cela pour lui faire plaisir, Alizée se sent apte à donner un coup de canif dans le contrat de valeur passé avec sa conscience rebelle.

— Marché conclu !

— N'aie pas peur de vivre, Alizée, et surtout, ne crains pas l'échec, car c'est justement grâce à lui que tu avanceras, c'est grâce à ces expériences souhaitées multiples que tu évolueras dans ta vie et que tu deviendras une jeune femme épanouie, fière de son chemin. Essaie également de baisser l'exigence que tu as envers toi-même, tu t'en demandes trop. Tu es résistante, fais-toi un minimum confiance, tu as les cartes de ta réussite à venir à ta portée.

L'arrêt de sa date de sortie pour l'avant-veille du réveillon de Noël est décrété le 20 décembre aux aurores. Le matin du décollage, Alizée a rassemblé ses effets personnels sans précipitation particulière. Paradoxalement, elle n'a plus spécialement hâte de partir. Avec son départ, elle craint de perdre la tranquillité de la routine hospitalière. Son isolement l'a, tout compte fait, protégée jusqu'alors, et aujourd'hui, elle va devoir se mêler de nouveau à la vie réelle, retrouver sa vie familiale, sa vie de collégienne. Mais que va-t-elle y retrouver au juste ? L'indifférence déprimante que ses parents se vouent mutuellement ? Elle en saute de joie d'avance. Ou son amie Sally qui n'a pas jugé bon de se déplacer, ne serait-ce que pour la saluer entre deux frasques ? Seul Vince a fait l'effort de migration dans cette contrée de grands toqués de la caboche.

À midi tapant, Mathieu vient la chercher pour l'accompagner jusqu'à l'entrée où ses parents doivent déjà l'y attendre. Elle ne peut cacher son appréhension de les retrouver tous les deux après presque trois semaines d'absence. Peut-être ont-ils changé leurs habitudes, vivre un moment sans son enfant peut avoir modifié leurs comportements. Elle est aussi inquiète du fait qu'elle les ait autant rejetés durant cette période d'hospitalisation, surtout qu'elle ignore la manière dont ils ont vécu de leur côté son internement. Elle ignore qui elle va retrouver en face d'elle, s'ils sont eux-mêmes habités par l'inquiétude ou par la colère ou par le plaisir de la récupérer. Les doutes assaillent la jeune fille de toutes parts, mais le temps des tergiversations est terminé, elle doit se jeter à l'eau, mettre un pas devant l'autre et y aller.

— Je te laisse ici, petite fée ! J'espère ne plus jamais te recroiser dans le coin, lui souhaite Mathieu en déposant une main sécurisante sur sa tête.

— Moi non plus, même si je te trouve plutôt cool. Sans toi, ça aurait été un calvaire perpétuel.

Un ultime clin d'œil et puis s'en va. Les cinglés n'attendent pas !

Ça y est, elle les distingue, ils sont là tous deux élégamment habillés, fiers et droits, se tenant non loin des grandes portes coulissantes de l'entrée. Encore un classique d'hosto. Étonnement, sa mère semble la plus réjouie d'entre deux lorsqu'elle aperçoit sa fille encore torturée d'angoisse au fin fond du hall. Alizée la voit agiter un bras dans sa direction avec un grand sourire aux lèvres. Nonobstant, cette gaieté impudique inespérée ne fait qu'accroître le malaise dans lequel se noie Alizée. Quelque chose cloche, il doit y avoir baleine sous gravillon et pourtant, dès qu'elle parvient à leur hauteur, sa mère ne sourcille pas et prend ce corps incrédule pétrifié dans ses bras.

— Je t'aime tellement, ne nous fais plus jamais ça, plus jamais, susurre Julia, la voix chevrotant d'émotion.

— Je te le jure, promet Alizée dans un soupir, bouleversée par ses paroles qu'elle n'attendait plus.

Jamais la neige ne lui a paru plus féerique et belle qu'en ce jour. La contemplation du blanc manteau défilant à la vitesse du passage du véhicule l'apaise, la berçant au gré des vaguelettes exercées par la conduite de son père.

De retour à la maison, la ballerine a le souffle coupé, toutes les personnes qu'elle affectionne le plus au monde se tiennent dans le salon, tous habillés sur leur trente et un. Vince, Sally, tante Jackie et tonton Riri, ils ont tous répondu présents. Salomé, embarrassée d'avoir fui l'hôpital comme la peste, ne se risque pas à croiser le regard de son amie, lui préférant ses chaussures. Le simple constat de sa honte engendre le pardon immédiat d'Alizée. Par ailleurs, elle apprendra la raison de son comportement au cours du dîner. Enfant, une cousine de son âge atteinte d'une méningite aiguë a manqué la mort d'un cheveu, créant un traumatisme profond chez l'adolescente. Rien de plus compréhensible.

La table a été dressée comme un soir de réveillon. La vaisselle haut de gamme a pris l'air du vaisselier qu'elle ne quitte qu'une fois l'an, les fenêtres se sont embellies d'inconditionnels de Noël et des guirlandes lumineuses ont été soigneusement déposées sur le montant de la cheminée ainsi que le long de l'arche communiquant entre le salon et la salle à manger. Le plan de table élaboré par Salomé place Alizée entre cette dernière et Vincent. Le trône de la princesse, en somme.

— Pourquoi as-tu dégagé Charlie l'autre jour à l'hôpital ?

Bien qu'elle ait préparé un scénario d'approche au préalable, la question lui échappe entre les petits fours et le pain surprise.

— Ah, tu nous as vus ?

— Et entendu. Enfin, un bout.

— Il venait s'excuser, mais je m'y suis opposé parce que je ne voulais pas lui faire ce cadeau. Si sa conscience le titille, je ne peux que m'en réjouir. En revanche, si c'est à ton détriment, c'est hors de question. Tu aurais voulu les entendre ? s'inquiète-t-il pendant que Salomé et la mère d'Alizée se bagarrent à propos de l'obstruction de la bouteille de champagne par son bouchon récalcitrant.

Elle hausse les épaules, quelque peu incertaine. Qu'aurait-elle aimé ? Vincent n'a peut-être pas tort, si son ancien amoureux n'a jamais souhaité autre chose que de se justifier auprès d'elle, le résultat se serait résumé à l'aggravation de sa peine. En récupérant son téléphone portable, elle s'est imaginée y découvrir de multiples textos ou appels de sa part, mais rien, zéro, nada, nul. Elle se met donc en tête de l'oublier le temps de ces retrouvailles à déguster, amusée, les nouvelles aventures de Salomé ou de sa tante Jackie qui n'a rien perdu de sa loufoquerie. Certaines choses ne changent pas, Alizée s'en félicite.

Qui dit Noël dit cadeaux. Par sa tante, la petite punk reçoit le tome un de la saga Millenium de Stieg Larsson, par son oncle, une statuette de dragon impressionnante. De Salomé, une robe lacée aux accents bdsm ainsi qu'un almanach du végétalisme, Vince, quant à lui, a opté pour un parfum à la rose. Elle est émue, elle qui n'a rien à leur offrir. Dans la précipitation de ces récents événements, la liberté de s'y adonner lui a manqué. L'émotion la submerge d'autant plus lors du déballage du cadeau de ses parents. C'est un voyage à Rome, elles avaient prévu, sa sœur et elle, d'y convoler dans un futur proche.

— T'y amèneras la personne de ton choix, mon petit mistral, lui assure son père.

C'est tout réfléchi. Il n'y a bien que Salomé qui puisse prétendre à une telle place.

Les siamoises complices renouent avec leur hédonisme à l'occasion d'une ultime fiesta donnée à leur fidèle squat en vue de célébrer les vacances de fin d'année. Alizée s'y pointe en retard afin d'éviter la gêne d'une rencontre fortuite avec Charlie et n'a aucun mal à localiser Salomé en train de se servir à boire sous le bar.

Alors que la foule se presse en prévision d'une prestation musicale, les deux inséparables se font entraîner dans son tumulte jusqu'à se retrouver propulsées aux premiers rangs. Salomé grogne contre les coupables, en vain. Le mal est fait, elles ne peuvent plus reculer, la voie est bouchée.

Soudain, les huées éclatent dans l'atmosphère. Ils arrivent. Dès sa montée sur l'estrade, Charlie fixe Alizée de ses yeux électriques. Elle y cherche une trace d'amour, mais n'y décrypte qu'un mélange d'embarras confondu dans l'appréhension. Ce qui s'en suit s'enchaîne à la vitesse d'un guépard en chasse. En l'espace de deux minutes, Salomé se hisse sur la scène, bouscule Charlie et finit par le gifler, coup sur coup. Pas une petite tape, non, une tarte à faire décoller un obèse morbide de son siège médicalisé.

— Pauvre mec, je croyais que tu tenais un minimum à elle, mais non, tu ne vaux pas mieux que tous les types que tu fréquentes.

— De quoi tu parles ? s'agace-t-il après s'être ressaisi suite à cette beigne magistrale.

— De quoi je parle ? De quoi, je parle ? T'es sérieux ? Je parle d'Alizée, demeuré ! Alizée, ça te dit encore quelque chose ou tu l'as déjà zappée comme toutes les grognasses que tu sautes ?

Blang ! Elle flanque un violent coup de pied dans un ampli qui a le malheur de se trouver à sa portée sous les yeux éberlués de l'assistance prise à partie malgré elle.

— C'est bon, laisse tomber, Salomé, tente Alizée sans réelle conviction.

— Laisser tomber ? répète Salomé de plus en plus en pétard, ce type est un loser, bordel, je ne peux pas laisser passer une dégueulasserie pareille !

Après Salomé, c'est au tour de Charlie de perdre patience. Alizée le regarde la prendre en aparté, la tenant fermement par le coude. La foule se tient maintenant à l'affût, prête à sauter sur la moindre miette que ces deux-là leur lanceront.

— Mêle-toi de ce qui te regarde. Si je n'ai pas appelé Alizée depuis quelque temps, ce n'est pas parce que j'ai couché avec elle et que j'ai obtenu tout ce que j'attendais. Tu ne vois pas plus loin que le bout de ton nez. Grandis un peu.

C'est le mot de trop. N'écoutant que sa rage, Salomé lui crache au visage sous les « oh » des spectateurs. Alizée, d'où elle se tient, peut observer avec netteté la bave perlée couler le long de la joue gauche du guitariste en alerte.

— Pourriture, elle était à l'hosto et toi, t'as pas bougé le petit doigt, il t'est pas venu à l'esprit qu'elle pouvait avoir besoin de toi, de ton soutien, gros naze ?

— Tu comprends vraiment rien à rien, se navre-t-il tout en se débarrassant du mollard dégoulinant avec le bas de son tee-shirt.

— Ouais, ce sont surtout les connards dans ton genre auxquels je ne pige rien, nuance, et on ne peut pas dire que tu y mettes du tien pour résoudre cette énigme. Allez, j'en ai fini, tu peux continuer ton concert de merde ! SHOW MUST GO ON ! scande-t-elle à l'adresse de la foule hilare, un tantinet dépitée du proche dénouement de cette affaire improbable.

— Tu mérites mieux que ce mec, crois-moi ! C'est un tocard, un frustré des sentiments, fait-elle catégorique une fois aux côtés d'Alizée, défaite et sonnée par ce déballage en public.

— Tu n'aurais pas dû aller jusque-là. C'est censé être ton ami, non ? On ne traite pas ses potes de cette manière.

Les cheveux de Salomé se dressent, électrisés d'aberration.

— Quoi ? Mais tu t'entends, ce con te traite comme de la merde et toi, tu lui trouves encore des circonstances atténuantes ? Parce que moi, tu vois, je te dirais plutôt que c'est pas de cette façon qu'on se comporte avec sa petite amie ! Et pour ce qui est de mon amitié partagée avec lui, pardonne-moi si j'ai du mal à être liée à un mec qui fait preuve d'aussi peu de courage. Il me fait pitié et grave. Tu ne devrais pas le défendre. Je suis sûre qu'il t'a déjà remplacée, c'est ce qu'il fait à chaque fois que les choses deviennent trop sentimentales à son goût. Il fuit et il va tremper sa queue ailleurs.

— Tais-toi, je t'en conjure, tais-toi ! hurle Alizée, les mains crispées sur ses oreilles.

Cette fille est sadique. Pourquoi remuer le couteau dans la plaie ? Alizée souffre déjà bien assez.

— Pardonne-moi, je ne voulais pas, s'excuse Salomé dans la hâte, peinée par les dégâts qu'elle a elle-même induits, je suis maladroite quand je pète un câble. Excuse-moi, vraiment. Mais ce type me rend folle de rage. Il n'aurait pas dû te faire cette saloperie. Non, il n'aurait pas dû.

— Je ne t'en veux pas, renifle Alizée.

— Mais je suis certaine qu'il te regrettera. Pour moi, il t'aime, il s'en est rendu compte et du coup, il a paniqué comme une fillette.

Alizée sourit malgré elle, même s'il y a de grandes chances pour que ces paroles n'aient jamais eu d'autre vocation que celle de la consoler.

Elle a la certitude qu'avec sa sœur à ses côtés, tout ceci ne se serait jamais produit. Sûr qu'elle y serait allée de son grain de sel, sûr qu'elle serait intervenue. Elle aurait joué son rôle de grande sœur protectrice à merveille. En définitive, elle aurait probablement, elle aussi, réagi de façon virulente si ce n'est plus que ne l'a montré Salomé, car, en plus de lui foutre la gifle qu'il mérite, elle aurait explosé sa très chère guitare contre le mur tout en lui faisant promettre de ne recontacter sa petite sœur sous aucun prétexte. Et Salomé fait partie des filles de la même trempe, de ces filles d'exception à l'étendard défenseur, parées au combat pour vous écarter du danger. Il y a maintenant quatre mois et demi, Alizée perdait sa sœur de sang, et elle réalise aujourd'hui que Salomé a pris les traits d'une sœur de cœur extraordinaire. Sa vie se reconstruira d'elle-même, il faudra plusieurs années pour que les blessures se referment, mais si Salomé continue à l'irradier de sa présence solaire durant les années à venir, elle parviendra à garder la tête hors de l'eau, à l'abri de ses démons. Oh oui, elle adore cette seconde sœur qu'elle s'est choisie et elle le lui rend bien.

Mais au moment où les amies siamoises s'éloignent de la scène d'un pas décidé et uni, la mélodie qu'affectionne la jeune punk parmi les millions de chansons composées dans l'univers envahit l'espace, se heurtant à sa diffusion aux cloisons murales et à la multitude de corps agglutinés entre eux.

En pivotant sur elle-même, Alizée découvre Charlie, installé au piano, commencer à entonner les premières paroles de *A whiter shade of pale*, comme un goût de « je t'aime » inavoué.

Imprimé en Allemagne
Achevé d'imprimer en octobre 2022
Dépôt légal : octobre 2022

Pour

Le Lys Bleu Éditions
40, rue du Louvre
75001 Paris